Penthesileia

Wiederentdeckt
und
mit einem Nachwort versehen
von
Friederike Hassauer und Peter Roos

Copyright by:
Frölich & Kaufmann, Berlin

Gestaltung:
Regelindis Westphal, Berlin

Satz, Lithos und Druck:
Benedict Press, Münsterschwarzach

1. Auflage Berlin (West), 1982

Printed in Germany

ISBN 3-88725-081-8

Penthesileia

Ein Frauenbrevier
für männerfeindliche Stunden

Mit Zeichnungen
von
Anna Costenoble

FRÖLICH & KAUFMANN

Inhalt

Das notwendige Vorwort

Als ich zwanzig Jahre alt war, liebe Schwestern, fiel mir als erstes der vielen Bücher, die von Männern gegen Frauen geschrieben worden sind, eines in die Hand, das den Titel führte: »Böse Zungen«. Es war ei-

ne Blütenlese von Bosheiten über das Weib, aus allen möglichen Dicht- und Schriftwerken zusammengetragen.

Ach wie weinte ich damals! Unglücklicher Verfasser, der in so frauenfeindlicher Stimmung nicht ein einziges Gedänkchen zu ihrer Entladung hatte finden können – der bei Hunderten hatte betteln gehen müssen, um dieser Stimmung ein Ventil zu konstruieren!

Jetzt, meine Schwestern, sehe ich ein, wie weise jener Verfasser handelte.

Seit Möbius, der nunmehr selige, den physiologischen Schwachsinn des Weibes so schlagend und unwidersprechlich bewiesen hat, können wir Frauen jede Dummheit, die wir begehen, mit unserer Minderwertigkeit ausreichend entschuldigen. Die Männer entbehren diesen Vorteil; sie machen die ihren unter voller, eigener Verantwortung. Gewiß ist es nur anzuerkennen, daß dieser Umstand sie keineswegs zurückhält, ihr Verzeichnis von Torheiten ebenso fleißig zu vermehren, wie wir das unsere; aber die Vorsichtigen unter ihnen verdienen vollauf unser nachsichtiges Verständnis.

Durch ihren angeborenen physiologischen Schwachsinn genügend entschuldigt, wagt es aus dieser Deckung heraus die Verfasserin, ein paar eigene Beobachtungen und Einfälle herauszugeben – von der Fingerspitze leicht, wie Nasenstüber, hingeschnellt.

O, wie sicher wohnt es sich unter wissenschaftlichem Schutz!

Penthesileia.

Penthesileia spricht:

Liebe Schwestern!
Ihr wißt, ich bin
Die Amazonenkönigin,
Von deren Kampf mit den griechischen Helden
Die älteren Dichter treulich vermelden.
Leider bin ich jetzt aktiv nicht,
Weil mir's an würdigen Gegnern gebricht;
Auch sind seit lange Schwert und Speer
Für Frauen keine Mode mehr.
Doch da mir einmal das Männermorden
Zu einer lieben Gewohnheit geworden,
So habe ich andere Waffen geschliffen
Und faute de mieux zur Feder gegriffen.

Ich schwärme nicht für grobe Keile,
Sondern für zierlich geflügelte Pfeile;

Die einen werden die Luft nur schneiden,
Mit blitzendem Flug das Auge zu weiden;
Manche werden gehörig sitzen,
Andere nur die Haut aufritzen,
Doch der Getroffene wird lächelnd schweigen,
Um sich nicht selber anzuzeigen.
Und nur die Philister, auf die ich nicht zielte,
Weil ich nie etwas für sie fühlte,
Werden entrüstet die Brille rucken,
Werden spöttisch die Schultern zucken,
Werden mit Fingern auf mich deuten –
Möchten sie doch die Sturmglocke läuten!

»Aber es gibt doch auch so gute –!«
Plädierte treuherzig Schwester Ute.
Kleiner Schäker! wen würde es drängen,
Den minder guten eins anzuhängen,
Wären in allen Erdenlanden
Nicht auch die allerbesten vorhanden!
Und gerade die allerfeinsten Kenner
Der schlechten sind die guten Männer;
Drum leg' ich ihnen den kleinen Band
Von Pfeilen vertrauensvoll in die Hand.

Dennoch, ihr Schwestern, soll euch allein
Dieses Büchlein gewidmet sein,
Daß es verwundete Gefühle
Mit Spott und Zuspruch freundlich kühle,
Und ihr – ohn' daß ihr der Seele schadet –
Eure Affekte im Lachen entladet.

Sage und Märchen

Lilith

Wie entstand wohl die Sage, daß Adam vor Eva eine erste Frau, Lilith, gehabt habe? Der Gedanke stammt offenbar von einem Manne, dem der Zeitraum zwischen der Erschaffung Adams und der Evas zu lang erschien. Wie hätte Adam es länger als vierundzwanzig Stunden ohne weibliche Gesellschaft aushalten sollen! Und anstatt abzuwarten, bis der Herr ihm eine ebenbürtige Gefährtin gemacht, nahm der erste Mann einstweilen einmal mit einer Verwandten des Teufels vorlieb...
Machen unsere heutigen Adams es anders?

Joseph

Was die Männer sich doch auf Josephs Verhalten gegen Frau Potiphar zugute tun! In sämtlichen ehrwürdi-

gen Männerannalen der eine Joseph – und wieviele Juda, Simson, David, Salomo...
Eben deshalb. Ein Original, das keine Schule gemacht hat, steht umso größer da.

Blaubart

Fast jeder Mann hat, wie Blaubart, seine Blutkammer mit zerstückelten Frauenexistenzen aus seiner Vergangenheit. Nur daß die moderne Frau dies schon voraussetzt. Und auch deshalb hat sie keine Gelegenheit, im ersten Entsetzen das goldene Schlüsselchen zu dieser Vergangenheit mit dem Blut ihrer Vorgängerinnen zu beflecken, weil der Mann entweder den Schlüssel selber in der Tasche behält – oder seinen Ruhm darein setzt, die Tür möglichst weit offen zu lassen.

Aschenbrödel

Unsere heutigen Aschenbrödel tun es ihrer Schwester nach, daß sie in einer ihren sonstigen Verhältnissen nicht angemessenen kostbaren Kleidung vor dem ersehnten Prinzen erscheinen. Vielleicht ahnt der Prinz die Täuschung – und dennoch fällt er hinein: es könnte doch vielleicht hinter der eleganten Außenseite die gute Partie stecken!

Dieselbe

Die Aschenbrödel mit den kleinen Füßen sind gar nicht so rar, wohl aber die Prinzen, die hinterdrein laufen und das verlorene Pantöffelchen an sich nehmen. Heutzutage liegen alle Schloßtreppen voll von absicht-

lich verlorenen Mädchenschuhen; aber die Prinzen hüten sich, sie aufzunehmen, denn alle fürchten, das Pantöffelchen möchte sich zum Pantoffel auswachsen.

Graf von Gleichen

Es ist nichts Kleines, sich zu zwei Frauen zu bekennen. Aber die armen übrigen —!

Dornröschen

»O wie süß, von dem Kusse eines Prinzen geweckt zu werden!«
Zehn Jahre später: »War das der Mühe wert, mich aus meinem herrlichen, hundertjährigen Schlafe zu wecken?! Wenn es einmal wieder so kommt, ersuche ich dich gefälligst, mich schlafen zu lassen — verstanden?!«

Siegfried

»Wie war es dir möglich,« fragte Brunhild ihren einstigen Geliebten, »mich um einer Kriemhild willen zu verlassen? Konntest du je glauben, sie würde dir eine gleichwertige Gefährtin werden — oder bist du dir deines Wertes nicht bewußt?«
»Du bist dir auch des deinen bewußt,« versetzte Siegfried, »und das ist mir lästig. Bedeutende Frauen sind auf die Dauer zu unbequem. Man kann an ihnen nicht einmal seine Launen auslassen, ohne daß man in Gefahr kommt, vor ihnen lächerlich zu werden. In Kriemhilds Augen bin ich in jedem Augenblicke der

Halbgott, selbst wenn ich ihr um eines abgerissenen Hemdknopfes willen sage, sie sei meiner nicht würdig.«

Lohengrin

Aber Elsa, wie töricht, wie leichtsinnig! Wenn Lohengrin doch nun einmal nicht nach seinen Antezedenzien gefragt sein wollte! Wie konntest du es dem Manne nur so leicht machen, vor der Ehe noch glücklich zu entwischen!

Hans Heiling

Geschieht es wirklich einmal, daß ein männlicher Geist aus seiner Tiefe heraufsteigt um der Liebe willen, so muß er es natürlich gerade auf solch ein Gänschen abgesehen haben, das einen feschen Jägerburschen vorzieht. Schau, trau dich — mit wem?

Mephisto und die Lamien

Ein tolpatschiger Falstaff, von zwei schlauen Weibern geneckt, bietet gewiß einen ergötzlichen Anblick. Aber Mephisto, einen wirklichen geistreichen Teufel, von nur weiblich scheinenden Nichtsen genarrt zu sehen, das ist ein wahrhaft herzerfreuendes Schauspiel, ein Anblick für Götter und für Amazonen!

Antike

Apollo und die Musen

Da Apoll wahrnahm, daß trotz des gemeinsamen Musizierens und Tanzens keine der neun Musen seinem versteckten Werben entgegenkam, richtete er Augen und Herz auf die junge Daphne.
Eines Tages folgte er der scheu Fliehenden durch Wiesen und Gebüsch, und endlich hatte er sie eingeholt. Aber die Götter neigten sich dem verzweifelten Flehen ihrer Angst; und unter Apolls zugreifender Hand wurde die keusche Schöne in einen Lorbeer verwandelt.
Trauernd schritt der verschmähte Gott nach dem Parnaß zurück und klagte den Musen sein Leid.
Und tröstend sprach Urania: »Weißt du nicht, daß sich jedes wahren Künstlers tiefste Sehnsucht unter seiner Berührung in Lorbeer verwandelt?

Jetzt will ich es dir gestehen: wir alle Neun liebten dich.
Aber wir verbargen es, damit du dich nicht für eine von
uns entscheiden und damit die acht anderen um so un-
glücklicher machen möchtest.
Und siehe: unsere ungestillte Sehnsucht wandelte sich
uns zum Gesang.
Und wir gehen hinab zu den Menschen und lehren sie
die Überwindung ihrer Herzen durch die Kunst.«

Apoll und Marsyas

Der eitelste aller Künstler, duldete Apoll nicht einmal
den harmlosen Konkurrenten Marsyas neben sich und
zog ihm bei erster Gelegenheit das Fell über die Ohren.

Apoll und die Niobiden

Unerbittlich grausam als Rächer der Familienehre, be-
raubte Apoll aus sicherer Höhe herab die unglückliche
Niobe ihrer vierzehn Kinder . . .
Ein moderner Künstler hätte sich doch wenigstens mit
den sieben Töchtern begnügt!

Theseus

Nachdem Ariadne den Theseus durch ihre Klugheit
und Hingebung aus dem Labyrinth gerettet hatte, ließ
er sie auf Naxos sitzen.
Nun — und weiter? Was ist dabei Ungewöhnliches —?

Die Sphinx

Ahnfrau Sphinx, schäme dich nicht länger in deinem Grabe, weil du schließlich von dem überlegenen Verstande eines Mannes besiegt wurdest. Ruhmvoll war dein Ende: bedenke, wieviele Männer an deinem Rätsel sterben mußten, bevor du den einen fandest, der klüger war als du!

Ödipus

Ödipus ist der Typus des klugen, weltfremden Theoretikers. Mit seinem scharfen Verstande löst er als Einziger das Rätsel der Sphinx; da er aber vor das wirkliche Leben gestellt wird, schlägt er blindlings den eigenen Vater tot und heiratet die eigene Mutter.

Iphigenie

Wenn Diana auch heute noch die Gnade hätte, die unglücklichen Jungfrauen, die vor dem Altar geopfert werden sollen, in einer Wolke nach der fernen Insel zu entführen, müßte Tauris sich einige Dependancen zulegen.

Europa

Wohl dir, daß du nicht heute lebst! Zu deiner Zeit entpuppte sich das Tier in deinen Armen als Gott — heute geschieht dergleichen meist umgekehrt.

16

Herkules und Omphale

Das Weib mit Keule und Löwenfell, und der Mann am Spinnrocken — das sieht ja aus, wie eine hypermoderne Ehe!

Agave, ihren Pfeil aus Pentheus' Todeswunde ziehend:

»So geht es, wenn sich der Begeisterung einer Frau der nüchterne Männerverstand entgegenstellt.«

Proserpina

Proserpina, ach du Arme! Ihr Schwestern Proserpinens, ach ihr Armen! Nur deshalb werdet ihr mit dem ganzen Aufwand der Entführungsromantik vom Gatten geraubt, damit ihr während der Hälfte eures Lebens im Souterrain über die dienenden Geister der Küche, Speisekammer, Waschküche und Bügelstube das Szepter schwingt!

Medea

Sag mir, Medea, war Jason nicht eigentlich zu unbedeutend, um deiner Rache würdig zu sein? Aber ich vergaß: du liebtest ihn noch. Die Liebe einer bedeutenden Frau gibt einem mittelmäßigen Manne immer noch soviel Gewicht, daß ihre Rache an ihm sie nicht lächerlich macht.

Orpheus und die Tiere

Wenn ich in einem guten Konzert um mich her so viele törichte, brutale, grausame, raubgierige Gesichter sehe, alle vom Zauber der Musik momentan gesänftigt, so erneuert sich mir die Geschichte des Orpheus, der durch seinen Gesang und sein Harfenspiel die Tiere zähmte.

Orpheus und Eurydike

Sollte Eurydike nicht selbst und mit Absicht bei ihrer Rückkehr aus der Unterwelt Orpheus veranlaßt haben, das Gebot des Schattenbeherrschers zu übertreten und sich nach ihr umzuschauen, damit sie ohne ihn im Orkus zurückbleiben konnte? Vielleicht hatte sie genug von der Künstlerehe...

Das verschleierte Bild zu Sais

Eine Illustration zur Neugierde des Mannes, die er so gern der Frau zuschreibt. Nur daß er sie bei sich selber Wißbegierde nennt und sie sich als Tugend zurechnet.

Dasselbe

Du fragst, liebe Schwester, weshalb der arme Jüngling dahinsiechen mußte, nachdem er hinter den Schleier der Göttin Wahrheit geschaut hatte...
Aber besinne dich doch, Schwester! Hast du je einen Mann gesehen, der die Wahrheit vertragen konnte?

Medusa

*Groß und schön und schrecklich bist du, Medusa –
ich habe dich von jeher geliebt. Du bist die Wahrheit,
die gewaltige, vor deren geradem Blick der Mensch zu
Stein erstarrt. Und stets erschien Perseus mir als der
moderne Jurist: hinter sie schleicht er sich, da sie
schläft; mit dem Schwerte schlägt er ihr das Haupt her-
unter und schreckt andere mit diesem Haupte, dem er
selbst nicht ins Gesicht zu blicken wagt.*

Odysseus und Penelope

*Kalypso, Kirke und alle die Ungenannten – wer zählt
sie, die Odysseus auf seiner Irrfahrt küßte, während
daheim Penelope hart bedrängt und dennoch in unta-
deliger Treue auf ihn wartete!
Was die Ärmste wohl gesagt haben mag, als sie einige
Jahre nach des Gatten Heimkehr den Homer las!?*

Homer

*Homer, der Blinde, wußte, daß seine begeistertsten
Zuhörer die Frauen waren.
Von seinem Begleiter ließ er sich am liebsten dorthin
führen, wo er Frauen beisammen vermutete. Er setzte
sich bei ihnen nieder, stimmte seine unsterbliche Leier
und sang von den großen Taten der Helden, von den
Schrecknissen des Meeres und von der Hilfe und Gnade und Unduldsamkeit der Götter. Im Halbkreise saßen die Frauen um ihn her; und war sein Lied zu Ende,
so priesen sie ihn, umwanden seine kahle Schläfe mit
Rosen, küßten seine Hände und erhoben ihn unter die
Götter.*

Einst war das Herz ihm voll von einem neuen Liede, das die Treue der Penelope verherrlichte. Er suchte nach einem fühlenden Zuhörer; und sein Begleiter führte ihn umher; aber alles war zum Wettlauf hinausgeströmt, und die Gegend war so menschenleer wie eine Wüste.

Endlich kamen sie an das Meer hinab. Da sah der Begleiter des Dichters eine schwarzgekleidete einsame Frau am Strande stehen und träumend über die ölglatte Fläche hinausblicken.

»Hier ist eine ernste Frau,« sagte er.

Homer rief sie heran und fragte, ob sie ihm zuhören wolle. Sie bejahte und ließ sich auf einen Stein ihm gegenüber nieder.

Da stimmte der Sänger seine Leier und begann zu singen, mit der Begeisterung des Künstlers, dem sein neues Lied ist, was der Mutter ihr neugeborenes Kind.

Ihm selber zitterte das Herz vor Schöpferlust und heiliger Freude; und er sang, wie er nie zuvor gesungen hatte.

Sein Begleiter, der das Lied heute schon mehrmals gehört, war den Strand weiter hinunter gegangen und las Muscheln aus dem feuchten Sande. So konnte er nicht sehen, wie die Frau ihr Gesicht in ihren Mantel vergrub und lautlos weinte.

Als das Lied verklungen war, saß sie noch versunken da; ihre erschütterte Seele horchte und träumte dem Wunder nach, das ihr bereitet worden war.

Erstaunt wartete Homer auf ihren Beifall. Nach einer Weile fragte er: »Bist du bei mir, meine Tochter?«

Und mühsam ihre Stimme festigend, antwortete sie: »Ich bin hier.«

Da rief Homer seinem Begleiter und sagte ihm:
»Komm, führe mich hinweg; ich habe mein Bestes an
eine Fühllose verschwendet...«
O blinder Homer — o blinde Söhne des blinden Homer!

Psyche

Wer kann es Psyche verdenken, daß sie schließlich einmal erfahren wollte, mit wem sie eigentlich das Vergnügen habe!?
Echt männlich war es von Amor gedacht, sie um des bißchens Neugierde willen so lange zu peinigen. Er war, wie stets die Männer, im Vorteil; er kannte sogar Psyches Familienbeziehungen. Von ihr aber verlangte er blindes Vertrauen.
Es ist dasselbe Prinzip, das die Männer bei Erlaß ihrer Heiratsannoncen befolgen, wenn sie in die Zeitung setzen: »Anonym zwecklos.«

Die Gänse des Capitols

Sind wir Frauen lebhaft, so nennt der Mann uns Gänse und beschwichtigt unsere Entrüstung mit der Bemerkung, daß es Gänse waren, die einst das Capitol retteten.
Wer Gelegenheit hat, Männer im Klub, im Café und an der Börse zu beobachten, kommt zu der Überzeugung, daß bei der Rettung des Capitols auch Gänseriche beteiligt waren.

Alexander der Große

Die Männer werfen uns Frauen unsere maßlose Eitelkeit vor.

Und doch kennt die Geschichte keine Tat der Eitelkeit einer Frau, die jener Tat Alexanders des Großen gleichkäme: während eines Gastmahls erstach der Eroberer seinen Freund Klitos, weil dieser ihn wegen seiner schiefen Schulter geneckt hatte.

Unsere heutigen Alexander stechen erst nach dem Gastmahl, und am liebsten mit der Schreibfeder. Sie sind eben kleiner als ihr Vorbild, ausgenommen in ihrer Eitelkeit.

Achill

O wie recht habt ihr Männer, uns wegen unseres Mangels an Sachlichkeit zu schmähen! Ja, wir gestehen es: wir urteilen, beschließen und handeln öfter, als recht ist, nach persönlichen Gesichtspunkten.

Freilich: Achill, der männlichste Mann, zog sich schmollend aus dem Kampfe um Troja zurück — nicht aus sachlichen Gründen, sondern weil Agamemnon seinem Wunsche nach dem Besitz der erbeuteten Sklavin Briseis nicht willfahrte. Und er trat in den Kampf wieder ein, als Hektor ihm seinen persönlichen Freund Patroklus getötet hatte...

Auf diese Bemerkung Penthesileiens erwiderte ein griechischer Mann: »Ja—a—a... Vielleicht erkärt sich das daraus, daß Achill in seiner Jugend eine Zeitlang in Frauenkleider gesteckt worden war...«

Zeus und Phryne

Als der junge Kleitos von Korinth bei seinem Eintreffen in Athen sich in das Haus seines Gastfreundes Evander begab, fand er es leer. Endlich erschien eine alte halbtaube Sklavin, die ihm mitteilte, heute oder doch zu dieser Stunde werde er keinen einzigen athenischen Bürger daheim treffen; denn soeben finde die Gerichtsverhandlung gegen Phryne statt.

»Wer ist Phryne?« fragte Kleitos, während die Alte ihm die Füße wusch.

Sie lächelte zu ihm auf und zeigte ihr leeres, hartes Zahnfleisch.

»Sie ist eine Glückliche,« antwortete sie nach einigem Schweigen. »Eile dich, auf den Gerichtsplatz zu kommen; vielleicht begnaden dich die Götter, daß du sie noch siehst, ehe man sie in den Kerker führt.«

Eine Glückliche, die man in den Kerker führt? dachte Kleitos, indem er in der Richtung, die die Alte ihm gewiesen, eilig dahinschritt − durch heiße, traumstille Straßen, in denen die durchglühte Luft des sommerlichen Nachmittags reglos schlief...

Da scholl ihm vom Ende einer Straße verworren dumpfer Stimmenlärm entgegen, der schließlich in einen langgezogenen froh-erregten Schrei überging − einen anhaltenden Schrei aus tausenden von Kehlen.

Beim Hinaustreten auf den Platz sah Kleitos etwas Seltsames. Aus einer dichtgedrängten Volksmenge, deren Köpfe wie Waldwipfel wogten, nun sich plötzlich alle nach derselben Seite wendeten, brach ein junges Weib hervor. Eine üppige Flut flammenbraunen Haares umflog ihren Kopf und schlug ihr im raschen

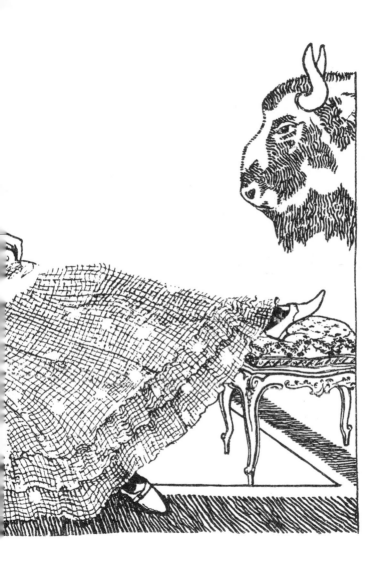

Vorwärtsschreiten Rücken, Schultern und Arme, die nackt waren; wie eine im Bade Überraschte schien sie nur rasch ein paar Kleidungsstücke aufgerafft und an sich emporgezogen zu haben, um sich notdürftig zu verhüllen. So dicht streifte sie an dem jungen Korinther vorüber, daß er sie an den Haaren hätte zurückhalten können.

Über die wogenden Köpfe und durch das nicht enden-wollende Heil-Rufen der Menge fuhr wie Donner eine gewaltige Befehler-Stimme hin:

»Niemand folge ihr!«

Gehorsam traten diejenigen, die der schönen Nackten sich hatten anschließen wollen, in das Volksgewühl zu-rück. Während jener Schrei sich wieder zum Gebrause aufgeregt sprechender Stimmen herabsänftigte, eilte sie durch den blendenden Sonnenschein in schneller Anmut, jedoch ohne Überstürzung, über den Platz hinweg und verschwand hinter dem Weiß einer Mauer-ecke.

Kleitos blickte ihr nach, bis das letzte Aufleuchten ih-res Haares erloschen war. Er wollte seine Nachbarn nach der Bedeutung des Auftrittes fragen; aber seine Stimme verweigerte ihm den Gehorsam.

Endlich faßte er sich so weit, um auf ihre Reden lau-schen zu können. Aus ihnen erfuhr er, daß Phryne, angeklagt der Verführung der athenischen Jugend, vor ihren Richtern erschienen und von der Hand ihres Ver-teidigers in ihrer ganzen Schönheit enthüllt worden sei. Dieser Anblick habe die Strenge der Greise entwaffnet und ihr Urteil zu Gunsten der Schönen gelenkt.

Seine Gedanken hatten ihn verlassen; in Herz und Sin-ne hatte die weiße Gestalt mit dem braunleuchtenden

*Haarmantel sich eingebrannt. Es war ihm unmöglich,
jetzt seinen Gastfreund aufzusuchen und Begrüßun-
gen mit ihm auszutauschen. Einsam sein mußte er für
eine Weile, um Ruhe zu gewinnen.*
*Er suchte den Strand des Ilissos und kniete nieder, um
sein Gesicht zu kühlen. Die Sandalen löste er und
tauchte die brennenden Sohlen in das niedere Wasser.*
*Langsam sank die Sonne gegen den Horizont und
pflasterte sich einen Weg aus Feuerplatten über den
schmalen Wasserspiegel bis zu ihm heran.*
*Und in der sacht sich kühlenden Abendluft wanderte er
weiter und stieg hügelan. Da leuchtete ihm vom Vor-
sprunge eines Kalkfelsens die majestätische Säulenordnung eines Marmortempels entgegen, im Abendrot
rosenfarben erglühend.*

*Er trat hinein und ging träumend zwischen den Säulen
hin. Plötzlich stand er vor einem Marmorbilde des
Zeus, das auf mannshohem Postamente ruhte.*
*Auf seinen in Donnerkeile auslaufenden Herrscher-
stab gestützt, schien der Gott zwischen den Säulen hin-
durch ins Abendrot hinauszuträumen, das in den Zwi-
schenräumen eine zweite, eine aus Feuer gebildete
Säulenordnung aufbaute.*

*»Laß mich sie wiedersehen — oder vergessen!« flüster-
te Kleitos, die Hände zu dem bärtigen Himmelsherr-
scher erhebend— — —*
*Da hörte er leichte Schritte und floh eilends hinter das
Postament. Noch im raschen Hinblicken hatte er Phryne erkannt, die reichen Haare nunmehr schön geord-
net. Ein langes Gewand schlug im schnellen Schreiten
weiße Wellen um ihre Füße.*

27

Gegen die Brust drückte sie zwei Arme voll mehrfarbi-
ger Rosen. Vor der Statue des Gottes angekommen,
ließ sie die Arme plötzlich sinken, und alle Rosen fie-
len auf einmal mit knisterndem Rascheln auf den Mar-
morboden nieder.

»Mächtiger Zeus!« hörte Kleitos das Mädchen halb-
laut sagen, und rascher Atem unterbrach ihre ersten
Worte, »heute komme ich zu dir — nicht zu Aphrodite.
Du weißt es, warum ich komme — — —
Von dir, der alles weiß, möchte ich erfahren, ob es
wahr ist, daß ich eine Sünderin bin, wie meine Anklä-
ger behaupten.
Warum bin ich angeklagt worden? Weil ich sündiger
bin als sie? Warum bin ich freigesprochen worden?
Weil sie mich schuldlos fanden?«
Eine Weile war es ganz still. Ein letzter roter Sonnen-
strahl bohrte sich schräg zwischen den Säulen hin-
durch und umflimmerte ihre Ränder mit süßem Gold-
rot.

»Lächle nicht unter deinem Barte, Gewaltiger!« flü-
sterte Phryne. »Ich will Ernst — darum eben komme
ich zu dir. Weshalb lächeln alle, die mich sehen? War-
um lächelt selbst mein großer Freund Praxiteles, außer
wenn ich mich ihm versage?
Warum seid ihr nur dann groß und ernst, wenn ihr un-
ter euch Männern seid? Sobald wir erscheinen, duckt
ihr zusammen und werdet kleine Lächler und Spielen-
de. Glaubt ihr, das gefalle uns?
Als Semele dich in deiner ganzen Majestät zu umfassen
verlangte, da geschah es, weil sie müde war, dich lä-
cheln zu sehen — mit jenem Lächeln, das dich dem nie-
dersten der Götter — das dich dem Faunus anähnelt.

*Was wollten die Männer von Athen, da sie mich an-
klagten — und was, da sie mich freisprachen? Wenn
ich eine Sünderin bin — bin ich es weniger, weil sie
mich schön fanden? Ist Gerechtigkeit nur für Männer
— löst Themis ihre Augenbinde, wenn es ein Weib ist,
das vor ihr steht?
Bin ich schuldig, großer Zeus, dann sage ja in deiner
Donnersprache!«
Wieder schwieg die erregte Flüsterstimme, sogar ihr
Atem schwieg. Vielleicht horchte Phryne atemlos auf
das erbetene himmlische Zeichen.
Auch Kleitos atmete vorsichtig, damit er sich nicht ver-
rate. Mühsam, denn sein Herz klopfte laut.*

*Jedes Wort, das er hörte, weckte wirre Gefühls- und
Gedankenstürme in seiner Seele. Sehnsüchtig suchte er
nach einer klaren Idee, die er Phryne wie eine goldene
Schlinge über den Kopf werfen könne, um sie an sich
heranzuziehen...
Und in die erwartungsvolle Stille brach plötzlich ihre
Stimme — nicht flüsternd wie bisher, sondern hell und
stark und triumphierend.*

*»Kein Donner!« rief sie. »Nein, ich bin keine Sünde-
rin, vor dir bin ich keine! Du bist nicht mein Richter, so
wenig wie die Männer von Athen es sind. Du wirst
nicht richtend meine Freunde zählen — auf daß ich
nicht alle deine Freundinnen zähle!
Nein, Zeus, — da ist keiner, der mich verdammen darf,
wenn selbst du es nicht kannst. Wenn du, ein Mann
und ein Gott, auf das Verzichten verzichtetest — wie
willst du es von mir erwarten, von einem schwachen
Menschenweibe?!*

29

Magst du mich strafen, wenn ich lästere. Du bist nicht besser als ich. Behalte meine Rosen — ein andermal will ich dir noch Tauben dazu opfern, wie ich es sonst Aphroditen tue!«

Kleitos hörte, wie sie sich niederbeugte, die Blumen zu ordnen. Da wußte er, daß er nicht länger zögern dürfe; und ein in ihm aufblitzender kühner Gedanke trieb ihn hinter der Statue hervor. Plötzlich stand er neben der Knieenden, die mit einem abgebrochenen Schreckenslaut emporfuhr.

»Ich bin Zeus,« sagte er mit majestätischem Ernst. »Gib dich mir, auf daß ich dir deine Lästerung verzeihe, Erdentochter!«

In ihrer ersten Bewegung zur Flucht hielt sie wieder an. Ihr flinker Blick überrann seine feine, gerade Gestalt und blieb auf seinen jungen Zügen haften. In den ihren glomm eine leichte unterdrückte Schalkhaftigkeit auf.

»Gib mir das Zeichen deines Donners oder deines Adlers, damit ich dir glaube. Erweist du dich als Zeus, so geschehe was du verlangst.«

»Sollen die Athenischen Bürger auf unsere Spur gelockt werden?!« erwiderte er schnell gefaßt. »So, wie ich jetzt vor dir stehe, erschien ich der Alkmene, des Herakles Mutter.«

Sie lachte hell auf. Dann legte sich plötzlich ein Schatten über ihr Gesicht; Haupt und Augenlider senkten sich in leichter Traurigkeit.

»Um Phrynes willen wird kein Gott zum Menschen,« sagte sie gedämpft. Und ebenso schnell, wie sie ernst geworden war, zuckten Mund und Augen in neuer Schelmerei; und samtene Grübchen vertieften sich auf ihren Wangen.

»Freund,« sagte sie, *»du bist nicht Zeus. Aber wenigstens bist du keiner jener heuchlerischen Athener, die das Weib ebenso ungerecht anklagen als freisprechen — je nach der Laune ihrer Sinne.*

Und du bist ein Mann… Gehört nicht eines ganzen Mannes Mut dazu, dir den Namen eines Gottes beizulegen, dem ich vor deinen Ohren so derb die Wahrheit sagte?

Du darfst mit mir kommen.«

Amor

Vor dir allein, Amor, läßt Penthesileia die Pfeile sinken; denn die deinen treffen sicherer, weiter, tiefer als die ihren. Und ach — wieviel grausamer!

Moderne

a) Ehrliche

Der Mitleidige

Ich hörte von einem Manne, der nach mehrjähriger Ehe zu seiner Frau sagte: »Deine unverheirateten Freundinnen dauern mich. Ich finde, sie alle haben ein Anrecht an mich. Warum du allein —? Sind nicht auch sie für das Glück geboren?«

Der Ungenügsame

Ich hörte von einem Manne, dem Gatten einer hochgearteten und reizvollen Frau, der sich bei einer anderen Dame sehr angelegentlich nach einer hübschen Künstlerin erkundigte. »Der Gatte einer solchen Frau,« er-

widerte die Dame, »sollte gar kein Interesse an einem anderen weiblichen Wesen nehmen.« Lächelnd versetzte der Mann: »Ich weiß, wer meine Frau ist, und ich verehre sie über alles. Aber selbst wenn sie noch mehr, wenn sie eine Göttin wäre – sie ist nur eine, und eine ist in jedem Falle zu wenig.«

Der Idealmann

Ich hörte von einem Manne, der nur die höchsten und edelsten Empfindungen im Munde führte und jeden, der in seinen Handlungen nicht die gleich hohe Gesinnung an den Tag legte, tief verachtete.

Er ließ sich herab, eine ganz gewöhnliche Frau zu heiraten, die sich nur eines Vorzugs bewußt war: ihrer großen, hingebenden Liebe.

Sie wußte ihr Glück gehörig zu würdigen und konnte sich an Demut und Opfern nicht genug tun. Aber er verlangte immer mehr; und wenn er sie bis zur Verzweiflung brachte mit seinen Predigten und Vorwürfen über ihre Unvollkommenheit und ihren Mangel an weihräuchernder Hingebung, dann erwiderte er auf ihre Tränen: sie müsse sich ihr Glück durch Schmerzen verdienen.

Erst nach und nach fiel ein Nebelschleier, und wieder und wieder einer. Sie ertappte ihn darauf, daß seine Handlungen mit seinen hohen Anschauungen in Widerspruch standen. Immer wieder traute sie ihrem Herzen mehr als ihren sehenden Augen; aber die Enttäuschungen wiederholten sich zu oft, als daß sie ihnen gegenüber hätte blind bleiben können...

Und eines Tages faßte sie Mut und bewies ihm durch ein vorliegendes Beispiel, daß seine Theorien, seine Forderung an andere ganz verschieden waren von seiner eigenen Art zu leben, die einen rücksichtslosen, unerzogenen Egoisten verriet.

Zuerst wollte er auffahren. Da er aber sah, daß sie sich diesmal nicht einschüchtern ließ, lächelte er selbstgefällig und sagte: »Aber liebes Kind − glaubst du denn, daß ein Mann, der sich fortgesetzt bemüht, so ideale Anschauungen aufzustellen, wie ich, auch noch die Kraft behält, danach zu leben −?«

Der Vergeßliche

Ich hörte von einem Manne, der den schweren Gang zu der lange geliebten Frau machte, um ihr zu sagen, daß er eine andere liebe und sie heiraten wolle. Dem Schmerze der Verlassenen gegenüber zeigte er sich zuvörderst von zartester Schonung.

Da er ihre ersten Tränen getrocknet hatte, bat sie ihn mit äußerster Selbstbeherrschung, von der Nachfolgerin zu erzählen. Zögernd, schonend begann er sie zu schildern − ihre Person, die erste Zusammenkunft. Mehr und mehr in Feuer geratend, sprach er von ihren ersten Küssen. Und entzückt verlor seine Phantasie sich in der Ausmalung einer ersehnten Zukunft...

Mit sterbenswehem Herzen hörte die Unglückliche den Mann ihrer einzigen Liebe so sprechen. Nach einer Weile fragte sie leise mit kaum zurückgehaltenen Tränen: »Weißt du auch, wem du das alles schilderst?« Erstaunt und fremd blickte er auf. Und dann sagte er betroffen: »Ach nein. Das hatte ich vergessen.«

Orientalisch

*Ich hörte von einem Manne in Bagdad, der eine fremd-
ländische Sklavin zum Geschenk erhielt. Eine Zeitlang unterhielt ihn das Selbständige und ihm Neue ihres Wesens; und wenn er sie nicht verstand, schlug er
sie.
Sobald er sich an ihre Art gewöhnt hatte, sah er sich
nach einer neuen Favoritin um und kaufte sie um hohen Preis.*

*Am nächsten Tage ging er mit der bisherigen im Ha-
remsgarten spazieren und besann sich auf eine neue
Art, wie sie ihn unterhalten könnte. An einem tiefen
Teich angekommen, blieb er stehen und fragte:
»Kannst du schwimmen?«
»Ich habe es nie versucht, Herr,« antwortete sie.*

*»So versuche es jetzt,« sagte er. »Ich werde in der Nähe
bleiben; kannst du nicht schwimmen, so rette ich
dich.«
Er stieß das Mädchen in das Wasser, sah eine Minute
lang ihren verzweifelten Anstrengungen, sich oben zu
halten, zu und wandte sich dann nach einem Gebü-
sche, hinter dem er die Stimme der gestern gekauften
Sklavin zu vernehmen glaubte.*

*»Kannst du dich oben halten?« rief er der mit den Wel-
len Ringenden hastig zu. »Ich — versuche — es, Herr!«
ächzte sie mit versagender Stimme.*

*Er eilte hinter das Gebüsch und verlor sich mit der neu-
en Sklavin in einem langen Laubengange.
Das Mädchen ertrank.*

b) Moralische

Der Entrüstete

Ich hörte von einem Manne, der als Junggesell die schlechteste weibliche Gesellschaft bevorzugte. Die Gewohnheiten solchen Umganges brachte er sogar oft in gute Gesellschaft mit; feinere Frauennaturen wichen ihm gern aus, weil er dem harmlosesten Gespräch laszive Wendungen zu geben wußte.

Er ließ sich in einer braven Kleinstadt nieder, heiratete und wurde moralisch.

Kurze Zeit nach seiner Heirat führten ihn Geschäfte in jene Großstadt, wo er als Junggesell gelebt hatte. Abends ging er in das Theater und sah Sudermanns damals neues Drama »Sodoms Ende«.

Mit sichtbarem Unbehagen saß er auf seinem Platze und wurde mit dem Vorschreiten der Bühnenvorgänge immer unruhiger.

Seine Bekannten von ehemals beobachteten ihn und wußten seine Mienen, sein Hinundherrücken, sein Kopfschütteln nicht zu deuten.

Endlich aber verstanden sie ihn. Denn mitten in der Vorstellung, als das Stück auf seinen Höhepunkt gelangt war, erhob er sich mit dem Ausdruck tiefster, feierlichster Entrüstung von seinem Platze, durchschritt mit ostentativer Langsamkeit und Energie die Reihen der peinlich gestörten Theaterbesucher und verließ vor aller Augen den Zuschauerraum.

Einige Zyniker glaubten, er sei hinter die Bühne gegangen. Da muß ich sehr bitten! In sein Hotel ging er,

um seine Entrüstung über das unsittliche Stück in einem längeren Briefe an seine Gattin auszuströmen.
So hatte ihn die gerechte Empörung gepackt.

Der Strenge

*Ich hörte von einem Manne, den seit lange eine heimliche, innige Liebe mit einer edelsinnigen Frau verband.
In beider Gegenwart erzählte eines Tages ein für wohltätige Angelegenheiten wirkender Herr von seinen Armen und schilderte besonders ein armes Arbeiterpaar, das, einander treu, in freier Gewissensehe lebte.
»Mein Herr,« tadelte der Liebende mit großem Ernst, »es ist nicht recht, derartige ungesetzliche Verhältnisse zu unterstützen!«
Staunend hörte es seine Herzensfreundin…
Eine Woche später staunte sie nicht mehr. Sie weinte: er hatte sie geziemend von seiner Verlobung in Kenntnis gesetzt.*

Der Zensor

*Ich hörte von einem Manne, der an einer größeren deutschen Bühne als Zensor fungierte.
Man studierte Ibsens »Jon Gabriel Borkman« ein.
Dem tugendhaften Zensor wurde das Stück unterbreitet; und nun suchte er sorgfältig nach staats- und religionsfeindlichen, vor allem aber nach sittlich anstößigen Stellen, die sein unerbitterlicher Stift ausmerzen durfte.
Wie – nichts –? Sollte sein treues Suchen vergeblich sein?*

Da verklärten sich seine Mienen. Frohlockend ergriff er den Stift und durchstrich in hoher seelischer Erhebung einen aus sieben Worten bestehenden Satz.

So fand die Darstellerin der Ella Rentheim in der Szene, da sie mit Borkman abrechnet, ihre Rolle um die vorwurfsvoll-tiefen Worte verkürzt: »Du hast das Liebesleben in mir getötet.«

Weshalb diese seltsame Verstümmelung? Was in aller Welt konnte der tugendhafte Zensor an diesem Satze Anstößiges gefunden haben? Sie versuchte die Worte vom staatsgefährlichen, vom religionsgefährlichen und schließlich vom sittenverderblichen Standpunkte aus zu betrachten – nirgends ließen sie sich unterbringen.

Sie ging zu ihren Kolleginnen, zu den Schauspielern – niemand konnte ihr Auskunft geben. Die Angelegenheit sprach sich in der Stadt herum; und die abgebrühtesten Lebemänner blickten einander fragend an und zuckten die Achseln mit einem bedauernden »Ignoramus«. Selbst sie konnten hier keine Pikanterie herausfinden.

Schließlich wandte man sich an den Zensor selbst, um den Grund seiner sinnstörenden Streichung zu erfahren. Unsicher rückte er auf seinem Stuhle hin und her, stotterte – und ergriff schließlich ein großes Stück Gummi, um den Strich wieder auszuradieren.

Welcher Gedanke mag die moralische Phantasie des edlen Mannes befleckt haben?
Aufgabe für einen Psychologen der Mannesseele.

c) Aus dem Dekamerone moderner Amazonen

1. Der Stolz der Männlichkeit

Im Lande Philhomonien geschah es, daß der alte König starb, ohne einen männlichen Thronerben zu hinterlassen. Nach den Gesetzen des Landes folgte die begabte älteste Königstochter ihrem Vater in der Regierung.

Sofort tat sich eine Anzahl Männer zusammen, die voller Entrüstung gegen die Thronbesteigung der Prinzessin protestierte.

»Ihr Männer von Philhomonien,« hieß es in ihrem Aufruf, »wollt ihr euch soweit entwürdigen, um euch einem schwächlichen Unterrocksregiment zu unterwerfen? Nur der Führung eines Mannes kann der echte, wertvolle Mann sich anvertrauen!«

Die junge Königin ließ die Verfasser und Verbreiter dieses Aufrufs vor Gericht stellen. Als man ihrem Privatleben nachforschte, ergab es sich, daß sie sämtlich Pantoffelhelden waren.

2. Der Geist der Widerspruchs

In einer der Großstädte Philhomoniens ließ einmal die Heiratslust der Männer in solchem Grade nach, daß innerhalb eines Jahres nur drei Ehen geschlossen wurden.

Die unverheirateten Damen der Stadt traten zu einer Beratung zusammen. Auf der Tagesordnung stand das Thema: »Wie ist der Heiratsscheu unserer heimischen Männer zu steuern?«

Fast alle Rednerinnen schlugen festliche Veranstaltungen vor, die den jungen Leuten beiderlei Geschlechts Gelegenheit zu erneuter Annäherung bieten sollten. Bälle, Liebhabertheater, Wohltätigkeitsbazare, Partien zu Wagen, Schlitten, Automobil, auf Schlitt- und Schneeschuhen, ja sogar zu Fuß, wurden in Vorschlag gebracht.

Da betrat eine selbst nicht mehr heiratslustige Jungfer die Tribüne und sagte: »Liebe Schwestern! Auf so abgedroschene Tricks fallen unsere blasierten Männer nicht mehr herein.

Stellt euch vielmehr, als läge der Rückgang der Eheschließungen nicht an der Heiratsscheu der Männer, sondern an eurer eigenen.

Laßt uns ein Stift erbauen, in das alle unverheirateten Frauen der Stadt, jung und alt, eintreten, und laßt durch die Zeitungen verbreiten, alle Insassinnen hätten das Gelübde der Ehelosigkeit abgelegt.«

Unter tosendem Beifall wurde dieser Vorschlag genehmigt und alsbald zur Ausführung gebracht...

Eine Woche nach seiner Einweihung wurde das Stift gestürmt. Nicht nur von den einheimischen Männern, sondern auch von solchen aus naher und ferner Umgegend... Ein zweiter Raub der Sabinerinnen schien sich zu vollziehen − das Geschrei der erbeuteten Frauen erfüllte die weiten Räume des Stiftes...

Wochenlang hatte das Standesamt keine Viertelstunde Ferien.

Sogar die alte Jungfer, die Urheberin dieser Heiratswut, wurde von einem Witwer, Vater von acht Kindern, erbeutet. Aber sie zog es vor, sich aus dem Fenster zu stürzen.

3. Die Überraschungen des Geldsacks

Es war einmal ein Mann, der nach langem Wählen und Bedenken einen großen Geldsack heiratete.

Als er ihn kurze Zeit nach der Hochzeit wohlgefällig schmunzelnd öffnete, fand er eine Xanthippe darin sitzen.

Der Mann erschrak, zog den Sack eilig wieder zu und schlug mit einem dicken Stock immerfort darauf. So heftig schlug er, daß große Löcher entstanden, durch welche die Goldstücke unter der Gewalt der Schläge hindurchschlüpften und in alle Welt fortsprangen und - rollten. Allein der Mann schlug immer weiter, bis er nicht mehr konnte.

Die Xanthippe aber hatte sich unter ein großes silbernes Fünfmarkstück verkrochen und saß mäuschenstill, so daß die Schläge sie nicht trafen, und der Mann schließlich glauben mußte, sie sei tot.

Aufatmend zog er die Schnüre des Sackes auf. Da kroch die Xanthippe heraus, setzte sich dem Manne in den Nacken und hielt sich in seinen Haaren fest, an denen sie ihn schmerzhaft zerrte, sobald er nicht parieren wollte.

Wagte er dennoch einmal eine eigene Meinung zu haben, so schlug sie ihm mit dem großen Fünfmarkstück auf den Kopf, so daß er zu allem, was sie tat und sagte, nicken mußte...

Er nickt noch immer, obwohl er furchtbar müde ist...

d) Aus dem Tagebuche eines berühmten Mannes

1. Meine Frau besitzt ebenfalls ein Talent.
Da sie das meine als das größere anerkennt, so bin ich entschlossen, ihr das ihre zu verzeihen.

2. Sage mir, wie hoch du mich schätzest, und ich sage dir, wer du bist.

3. »Bescheidenheit − das schönste Kleid.«
Verächtliche Kleidernarren, die sich gerade immer auf das schönste kaprizieren!

4. »Gut Gewissen ist ein sanftes Ruhekissen.«
Das wäre mir ein rechter Mann, der sich so verweichlichte!

5. »Wer sich zum Schaf macht, den frißt der Wolf.«
Sehr richtig. Daher habe ich mich von jeher lieber zum Wolfe gemacht und Schafe gefressen.

Literarische Verwandlungen

Die Tragödie im Paradiese

(Nach den neuesten Forschungen)

Als Eva erschaffen war, geriet Adam in einen Taumel des Entzückens. Monatelang — ja, Idealisten behaupten: jahrelang — ward er nicht müde, mit ihr kosend zu tändeln und zu plaudern, ihr die süßesten Dinge zu sagen, ihre langen rotblonden Haare zwischen seinen Fingern hindurchgleiten zu lassen.
Sie standen miteinander an dem schimmernden Flusse, der den Garten Eden von Osten nach Westen durchströmt. Riesige Schwertlilien schossen daraus hervor und hielten ihre lila Kelche straff aufwärts; die Blüten schienen auf die Spitze von Speeren gesteckt, die nicht verwunden sollten.

Das Schilf wiegte krause Blütenähren und rotbraune Samtkolben.

Zwischen dem durchsichtigen Laub der Weiden, die nachdenklich in koketter Demut ihre Nacken beugten, fiel langsam die immer heißer entbrennende Glut des Abendhimmels gegen den Horizont und streute flammende Rosen zwischen das schwarze Netzwerk gespiegelter Schilfhalme.

Die Welt war das vollkommene Abbild glückseliger Liebe; und das Menschenpaar dankte einander mit einem langen, innigen Kusse für die Seligkeit dieses Augenblickes. Eines schien dem andern der Schöpfer der Schönheit...

Adam pflückte Blumen und trug sie in vollen Armen für Eva herbei, die im Grase kauernd eine lange Girlande daraus wand. Da sie fertig war, schlang das Weib lachend das farbige Gewinde um sich und um den Geliebten und verknotete die Enden. So fest verflochten, lachten sie einander in die nahen Augen; und dann wurden sie ernst, und ihr Kuß sagte: Ewig!

In das silberne Wasser stiegen sie miteinander, die weißen Leiber von fliehenden Fischen umblitzt, und trieben süße, wilde Spiele. Und Evas Goldhaar schwamm wie Sonnenglanz auf dem Spiegel des Flusses. Danach lagen sie müde im weichen Grase, die Gesichter auf dem Arm, dem Boden zugekehrt, und ließen sich von der Sonne die Tropfen vom Nacken saugen.

Durch kühlsilberne Nächte, die auf glühende, schlummererfüllte Tage folgten, schritten sie, und eins verbarg sich vor dem andern in schwarzen Büschen. Mit Vogelruf wußte Eva zu necken und den Freund wald-

45

ein zu locken. Und plötzlich sprang die Versteckte her-
vor, lachend und küssend warf sich das Weib in die Ar-
me des Suchenden...

So ging es lange, lange fort...

Und es kam eine Zeit, da Adam hin und wieder alleine
wanderte. Versonnen betrachtete er die Tiere, die
Pflanzen des Gartens und blieb oft in dessen Mitte vor
dem großen Apfelbaum stehen. Durch die weit ausge-
breiteten Äste glitt wundervoll schillernd in ewiger
lautloser Bewegung der strenggemusterte Körper der
weisen Schlange. Schlau blitzten ihre Augen zu ihm
hinüber, und das zweispitzige Zünglein streckte sich
schnell, wie ein Fähnchen aus einem Fenster flatternd,
gegen ihn. Aus dem lockeren Laube quollen leuchtend
rote Äpfel — die Früchte, die ihm und Eva zu essen
verboten waren. Hin und her zwischen ihnen schob
sich geschickt der glatte Schlangenleib, ohne jemals ei-
ne der Früchte abzubrechen.

Und Adam konnte stundenlang diesem geschmeidigen
Leibe zuschauen, wie er verschwand und wieder auf-
tauchte, wie das Licht jeden Augenblick eine andere
seiner Windungen aufschimmern ließ. Und dann
schritt er verdrossen zu Eva zurück, duldete ihre Zärt-
lichkeiten, ohne sie zu erwidern, oder schob sie gar
murrend von sich. Zuweilen zog sie sich dann ge-
kränkt zurück, bis er selber, ihres Schweigens müde,
sie neu herausforderte. Meist aber widerstand ihre hei-
tere Laune; dann erfand sie holde Spiele und zauberte
mit tausend lieblichen Einfällen sein Lächeln wieder
herbei.

Einmal, da Adam wieder vor dem Baume stand, ent-
schloß er sich, die Schlange anzureden.

»Warum nur schaue ich dir so gerne zu?« fragte er.

Und sie antwortete: »Weil ich die Bewegung bin und der Wechsel.«

Da erschrak Adam und schritt hinweg. Denn in ihm war eine Stimme erwacht, die sprach klagend, sobald er an Eva dachte: ‚Immer dieselbe! Wehe mir — immer und ewig dasselbe Weib!'

Aber nun zog es ihn unwiderstehlich zur Schlange. Schon am nächsten Tage stand er von neuem vor dem Baume der Erkenntnis; und mit klopfendem Herzen beichtete er der Schlange seine Unzufriedenheit.

Sie glitt in die unteren Zweige hinab, ihm näher.

»Hier im Garten ist kein Wechsel,« zischelte sie. »Hier herrscht das Gleichmaß ewiger Glückseligkeit. Aber so du einen dieser Äpfel issest, wird dir die Weisheit werden, dein Schicksal zu ändern.«

»Ich schmachte nach Bitternissen!« zitierte Adam unbewußt und seufzte. »Ich möchte aus dem Garten gleichmäßiger Glückseligkeit heraus, zu andern Weibern... Aber den ersten Schritt darf ich nicht tun — ich habe mein Manneswort gegeben.«

»Ich weiß einen Weg,« sagte die Schlange leise. »Führe mir dein Weib her!«

Neubelebt suchte der Mann seine Gefährtin auf. Mit der sprudelnden Heiterkeit früherer Tage neckte er sie, und beglückt schmiegte sie sich an seine Brust.

»Komm, laß uns ein wenig wandeln!« schlug er vor und legte ihr den Arm um den Nacken. »Die Abendkühle ist nicht fern.«

Die Sonne sank zwischen goldenen Wolkeninseln; ein frischer Atem tändelte mit den Blättern der Bäume und richtete schlaffe Blumenstengel auf...

In ihrer Glückseligkeit merkte Eva nicht, daß der umschlingende Arm des Gefährten sie einem bestimmten Ziele entgegenzwang. Wie einst, glaubte sie ziellosglücklich mit ihm umherzuschlendern...

Und plötzlich fand sie sich unter dem Baume der Erkenntnis, dessen Äpfel im Abendschein die Feuerbälle glühten – – –

Die Schlange glitt zu ihr nieder bis zum Stamme. Eva erschrak vor ihr, und ihr Auge suchte den Beschützer – aber Adam war verschwunden.

Gebannt durch den tückischen Blick des seltsamen Geschöpfes stand Eva zagend unter dem Baum...

»Nimm und iß!« sagte die Schlange. »Hat der Herr euch nicht die Früchte des Gartens erlaubt? Schau, wie meine Äpfel schwellen von Saft und Süße!«

»Diese hier sind uns verboten,« sprach das Weib, »damit wir nicht sterben!«

»Sterben –!« fiel die Schlange überlegen ein. »Was ist das? Sterben ist ein Wort ohne Sinn. Nein – nur deshalb sind sie euch verboten, damit ihr nicht wissend werdet, wie der Herr, und Gutes und Böses erkennet. Nimm und iß!«

Wie sie flammten, die üppigen Früchte! Und da Eva noch zögernd die Hand nach einem Apfel ausstreckte, stieß die Schlange wie von ungefähr daran, und er fiel in die emporgehobene Frauenhand.

Und plötzlich stand auch Adam wieder neben ihr, sonderbar plötzlich, und blickte lüstern nach dem Apfel, den das Weib unter dem Banne seines Auges zum Munde führte. Und wie von ungefähr lag die Frucht auch in seiner Hand, und er aß...

(Fortsetzung Genesis Kap. 3, Vers 7.)

Glosse zum 1. Kapitel Esther

(Keine Fälschung.)

Festtage im Palaste des Königs Ahasveros.
Um die Porphyr- und Marmorsäulen schlangen sich
purpurne Stoffe und Kränze aus samtgrauen Ölzwei-
gen, von fremdartigen Blumen durchflochten. Ge-
schmückte Menschen schwärmten durch die Hallen;
geschnittene Edelsteine, im Sonnenstrahle aufglü-
hend, liehen ihnen für Augenblicke ihre brennenden
Farben; dann wieder verschwanden die Gestalten im
geheimnisreichen Schatten dünngeschliffener Mar-
morfenster, vom Tageslicht nur in braungoldenen
Flecken aufgehellt.
Es war der Abend des dritten Tages. Auf der Empore
des Königssaales lagerte auf Polstern Ahasveros mit
seinen Freunden, alle trunken von den edelsten Wei-
nen seines Bergkellers. Rötlich getrübt war das Weiß
ihrer Augen, und sie lachten und wußten nicht mehr,
warum.
Und eine der halbnackten Tänzerinnen, die zwischen
den Säulen tanzten, riß einen Kranz vom Gesims,
schleuderte ihn sich aufs Haupt und lachte dreist her-
auf.
»Schöne Sumpfzypresse des Tales!« schmunzelte mit
feuchten, schwarzumfransten Mundwinkeln Mithron,
der Sohn des Khefittah, der dem König zunächst saß.
»Mögen meines Bruders Augen sich öffnen!« fiel
Ahasveros ein.
»Sind nicht ihre Fußknöchel wie die Knollen der
Kropfweide?«

49

Mithron aber, der Sohn des Khefittah, lachte nur und erhob die Hand zum Winke, aber der König hielt sie ihm fest.

»Ferner sei es, daß mein Bruder seinen Blick weide an den Mängeln der Niedrigkeit! Möge es mir vergönnt sein, ihn unterscheiden zu lehren – das Vollkommenste sollst du sehen von Weibesschönheit.«

Und dem Sklaven die Weinkanne aus der Hand nehmend, so hastig, daß der Teppich den dunkeln Wein in sich sog, befahl er: »Gehe ins Frauengemach und rufe mir die Königin Vasthi. Und ich entbiete ihr, herzukommen ohne Kleid noch Mantel; wie der weiße Mond aus seinen Wolken, wie des Herren Hand sie gebildet, unverhüllt soll sie zu mir kommen aus ihren Gemächern.«

Rasch berührte des Knaben Stirn den weinfeuchten Saum des Teppichs; dann verlor sein flinker Schritt sich im Säulengang.

»Eure Augen werdet ihr glücklich preisen, daß sie solches schauen durften!« rief der König triumphierend seinen Freunden zu; »und edeln Neides voll werden eure Herzen sein, wie eure Becher süßen Weines.«

Die Freunde erhoben sich auf den Ellenbogen und schärften ihre Blicke, um des Säulenganges Dämmerung zu durchdringen. Sie schwiegen und harrten.

Endlich scholl des Sklaven leichter Tritt den Gang herauf. Er kam allein.

Dreimal schlug seine Stirn den Boden.

»Möge mein Gebieter seines Zornes Wolke nicht über seinem unwürdigen Diener zerreißen! Die Königin weigert sich zu kommen.«

»Weigert sich?!« Der König schnellte auf, ein Gezack blauer Adern pochte an seiner Schläfe, und sein Bart zitterte. »Warum —?«

»So sprach die Herrin zu ihren Gespielinnen: ,Wahrlich, dies befahl mein Herr im Rausche, und übel würde er mir meinen Gehorsam danken. Könnte er sonst wohl vor fremden, trunkenen Männeraugen entweihen wollen, was dem heiligsten Augenblicke der Liebe vorbehalten —?'«

Vor Ahasveros' blutdurchschossenen Augen wankten die Säulen. Er fühlte die spöttischen Blicke der Freunde; aber das stillbegeisterte Gesicht des Knaben sah er nicht.

Mit schrecklicher Stimme rief er: »Gehorcht die Königin Vasthi nicht dem Gebote ihres Herrn, so soll sie nicht mehr Königin sein von nun an!

Sie hebe sich hinweg aus meinem Palaste, meiner Stadt und meinem Lande — nimmer erscheine sie mehr vor meinen Augen!«

Und zürnend verließ Ahasveros die Halle, und hinter ihm erloschen die Lichter des Festes. Drei Tage und drei Nächte saß er eingeschlossen in seinen Gemächern; denn seine Seele raste, weil er eine Schamlosigkeit und Torheit begangen hatte. Und nur, um sein Unrecht nicht eingestehen zu müssen, opferte er sein schönes und tugendhaftes Weib.

Denn er war ein Mann.

Aber wohl hütete er sich, seine spätere zweite Gemahlin auf eine ähnliche Probe zu stellen. Die feine und kluge Esther hätte ihren Gebieter vielleicht noch nachdrücklicher auf seine Pflichten als Gentleman hingewiesen.

51

Rotkäppchen

*Es war einmal ein süßes Mädel von siebzehn Jahren,
das wurde Rotkäppchen genannt, weil es immer eine
äußerst kleidsame rote Tenniskappe trug, die ihm seine
Großmutter geschenkt hatte. Die Großmutter liebte
Rotkäppchen über alles; und alle Welt wußte, daß sie
es sogar zur Universalerbin ihres großen Vermögens
eingesetzt hatte.*

*Eines Tages sagte Rotkäppchens Mutter zu ihrem
Töchterchen: »Liebes Rotkäppchen, du weißt, die liebe Großmutter hat Influenza gehabt und kann noch
nicht wieder ausgehen. Fahr ins Villenviertel und bring
ihr dies Buch (»Die Buddenbrooks« oder »Jettchen
Gebert« – durch das jeweilige Modebuch zu ersetzen)
– aber blick nicht hinein, es paßt sich noch nicht für
dich. Und vor allem: verlaß die Trambahn erst vor
Großmutters Hause – geh ja nicht allein über die
Hauptstraße, – sei gehorsam!«*

Rotkäppchen versprach's, wickelte das Buch in Sei-denpapier und ging bis an die nächste Haltestelle der Trambahn. Aber die Sonne schien gar so schön in die Ladenfenster, ließ die edlen Steine in den Juwelieraus-lagen aufblitzen, verwandelte die Blumen auf den Frühlingshüten in lebendige Beete und bestrahlte – o Entzücken! – die Blusen in den Konfektionsläden so verlockend, daß Rotkäppchen des gegebenen Verspre-chens nicht eingedenk blieb und selbstvergessen durch die Hauptstraße schlenderte. Vor einem Laden mit den modernsten Darmstädter Schmucksachen blieb sie wie verzaubert stehen und wünschte – wünschte –

Auf einmal kam um die nächste Straßenecke der böse Baron Wolf daher, der es gerade immer auf die jüng-sten und dümmsten Mädchen abgesehen hatte. Längst kannte er Rotkäppchen vom Ansehen; sie aber hatte ihn nie beachtet und wußte nicht, daß er ein wildes Tier sei, das junge Mädchen fraß.

Er trat hinter sie und sagte mit einer eleganten Handbe-wegung gegen die Schmucksachen: »Bitte, wählen Sie, liebes Rotkäppchen.«
Rotkäppchen erschrak; aber sanft und freundlich sagte Baron Wolf:
»Fürchten Sie sich nicht, ich habe die jungen Mädchen wahrhaft lieb... Was haben Sie denn da im Seidenpa-pier?«
»Ein Buch, das ich noch nicht lesen darf, für meine lie-be Großmutter,« antwortete Rotkäppchen. »Sie ist nämlich krank und kann nicht ausgehen.«
»Das ist schön von Ihnen, Sie süßes Ding,« lobte Ba-ron Wolf.

»Wo wohnt denn Ihre liebe Großmutter?«
»Draußen im Villenviertel,« sagte das arglose Ding.
»In dem schönen Garten mit den Strozzilaternen am Portal, wo die vielen Haselnußstauden stehen und der neue Tennisplatz am Teich angelegt ist.«

»Ah, richtig!« rief Baron Wolf erfreut, denn nun erinnerte er sich sofort des Hauses. »Wie glücklich bin ich, Ihre Bekanntschaft gemacht zu haben, Sie liebes Geschöpf!« fuhr er fort. »Gewiß machen Sie noch Einkäufe für Ihr liebes Großmütterchen – inzwischen muß ich eilig fort. Auf Wiedersehen!«
Und ehrerbietig grüßend entfernte er sich und schwang sich gewandt auf die Plattform einer vorübereilenden Trambahn, die ihn im Fluge dem Villenviertel zuführte.
Hier fand er schnell das bezeichnete Haus, schellte am Portal mit den Strozzilaternen und fragte das herbeieilende Dienstmädchen: »Befinden sich gnädige Frau heute ein wenig besser, mein schönes Kind?«

In dem Glauben, einen Freund des Hauses vor sich zu sehen, erwiderte das Mädchen, daß gnädige Frau sich heute etwas wohler fühle, aber noch nicht Besuch empfange.
Baron Wolf bedauerte. »Ich habe den Auftrag, hier Fräulein Rotkäppchen zu erwarten und sicher heimzugeleiten,« sagte er. »Gleich wird sie hier sein. Führen Sie gefälligst das Fräulein zuerst zu mir, da ich ihr eine Botschaft für die Frau Großmutter auszurichten habe.«
Das Mädchen nötigte ihn ins Wohnzimmer, das durch

herabgelassene Vorhänge stark verdunkelt war. Baron Wolf setzte sich in die finsterste Sofaecke und zog die Schlafdecke über sich. *)

Unterdessen hatte Rotkäppchen sich in einem Blumenladen für die Großmutter einen schönen Strauß binden lassen, schlenderte noch ein wenig durch die Stadt und langte eine halbe Stunde nach dem Baron Wolf in Großmamas Villa an.

Hier wurde sie sofort in das verdunkelte Wohnzimmer geführt. Von dem draußen herrschenden Sonnenschein noch geblendet, blieb sie erstaunt an der Tür stehen. Nur undeutlich gewahrte sie die Gestalt im Sofa.

»Großmutter,« sagte sie zaghaft, »was hast du für glühende Augen!«

»Damit ich dich leichter entzünden kann,« entgegnete Baron Wolf leise.

»Großmutter – was hast du für lange Arme!«

»Damit ich dich besser umfassen kann.«

»Ach Großmutter – wie entsetzlich ist in der Krankheit dein Schnurrbart gewachsen!«

»Damit ich dich besser küssen kann!« rief Wolf, sprang auf und zog das erschrockene Rotkäppchen in seine Arme.

In diesem Augenblicke fuhr in seinem Wagen der Hausarzt der Großmutter, Doktor Jäger, vor. Doktor

---

*) Daß der Wolf auch die Großmutter gefressen habe, ist eine völlig unerwiesene Behauptung. Wölfe, die den Gout für Backfischchen haben, fressen keine Großmütter, und umgekehrt. Jeder Wolf hat seine Spezialität. Sehr junge Wölfe versuchen die Kraft ihrer Zähne gern an Großmüttern; aber je älter der Wolf, desto jünger das Lamm.

*Jäger, eine durchaus aufs Praktische gerichtete Natur,
in der Stadt durch den Beinamen »Mitgiftjäger« ausge-
zeichnet, hatte den Baron Wolf, der ihm schon früher
in unliebsamer Weise den Weg gekreuzt hatte, längst
auf dem Strich.*

*Heute ahnte er ihn freilich nicht in seiner Nähe. Doch
bemerkte er mit Besorgnis die herabgelassenen Vorhänge des Wohnzimmers und dachte: »Sollte die alte
Dame gegen mein Gebot das Bett verlassen haben?«
Und eilig ließ er sich ins Wohnzimmer führen...*

*Sobald Rotkäppchen bemerkte, daß die Tür sich öff-
nete, wehrte sie sich ernstlicher als zuvor gegen Wolfs
Zärtlichkeiten; sie schrie sogar...*

*»Hab ich dich endlich —!« rief Jäger mit ritterlicher
Entrüstung und zog in Ermangelung einer Waffe sein
Verbandbesteck aus der Tasche, was aber ebenso ein-
drucksvoll wirkte. Mit einer großen Kratzwunde im
Gesichte entsprang der böse Wolf und lief an den Teich
im Garten, um sich das Blut vom Gesichte zu waschen:
Rotkäppchen hatte von ihren schönen langen Nägeln
zum ersten Male in ausgiebigster Weise den ihnen von
der Natur zugewiesenen Gebrauch gemacht. Aber in
seiner Verstörtheit beugte er sich zu weit vor, fiel in den
Teich und wurde auf sein Hilfegeschrei von der Die-
nerschaft pudelnaß, vollkommen abgekühlt und ohne
seine kunstvolle Perücke herausgefischt.*

*Doktor Jäger aber führte Rotkäppchen an Großma-
mas Bett und sagte salbungsvoll:· »Nehmen Sie Ihr
Kleinod hin, gnädige Frau — ich habe es Ihnen aus den
Klauen des Raubtieres gerettet. Wie glücklich aber wä-
re ich, wenn Sie mir es auf ewig anvertrauen wollten!«
Die Großmutter war überrascht und gerührt. Auch*

Rotkäppchen konnte sich sekundenlang nicht in die neue Situation hineinfinden. Als aber Jäger sie sanft an sich zog und ihr zuflüsterte: »Ich habe dich immer geliebt!« machte sie plötzlich an sich die gleiche Beobachtung und lehnte sich vertrauend in den umschlingenden Arm.

Vor lauter Freude war die Erbgroßmutter wieder gesund geworden und konnte aufstehen. Alle drei setzten sich fröhlich zu Tische, tranken Champagner, aßen Buttercremetorte, und Rotkäppchen sagte naiv: »Ich will auch nie wieder durch die Hauptstraße gehen, wenn meine liebe Mama es mir verboten hat.«

»Aber doch mit mir —?« fragte Jäger vorwurfsvoll zärtlich.

»Mit dir —?« flüsterte Rotkäppchen verschämt und schmiegte sich an seine Schulter. »Mit dir sogar in ein klassisches Theaterstück...«

Von dem Fischer un synen Fruen

Dor was emal so'n Fischer un syne Fru —.
Aber halt. Ich sehe ein, daß ich für diejenigen, die nicht
in Fischerkreisen verkehren, hochdeutsch erzählen
muß.
Also es war einmal ein Fischer und seine Frau, die
wohnten zusammen in einer Cottage am Meeresstran-
de. Er war ein ansehnlicher Mensch; sie aber besaß nur
ein Auge, mit dem sie ausschließlich die Vorzüge ihres
Gatten erkennen konnte; das andere, mit dem sie auch
seine Fehler hätte sehen können, hatte er ihr im ersten
Ehejahre aus Versehen ausgestoßen. So geschah es,
daß sie ihn über die Maßen anbetete und verwöhnte
und daß in ihm sich die Überzeugung befestigte, einen
so ausgezeichneten Mann wie ihn trage die Erde nicht
zum zweiten Male. Und er begann alle Leute, die an-
ders geartet waren als er, die er nicht verstand oder die

58

ihn nicht gleichermaßen überschätzten, zu verachten;
schließlich sogar war ihm die eigene Frau nicht mehr
gut genug. Und dazu kränkte es seine Eitelkeit, daß sie
einäugig war und keine glänzenden Gaben besaß...
Zehn Jahre lang währte bereits ihre Ehe. —
Eines Tages saß er fischend am Meere und ließ einen
hellen, sehnsüchtigen Sang über die Fläche hinschal-
len, auf der die Sonne in breiten schimmernden Strei-
fen sich wiegte und in glitzernden Funkten tanzte; jede
Welle trug ein leuchtendes Stück Himmelsblau gegen
das Ufer... Nach längerem Harren fühlte der Fischer
das Netz schwer werden; und da er es heraufzog, fand
er einen mächtigen Goldfisch darin zappeln.
Hocherfreut wollte der Fischer seinen Fang nach Hau-
se tragen. Der Goldfisch aber begann also zu spre-
chen:
»Alle Männer fischen nach mir; nicht dir aber bin ich
bestimmt.
Lässest du mich frei, so will ich dir alle deine Wünsche
gewähren.«
»Dann — dann —,« rief der Fischer atemlos vor freudi-
ger Hast, »wünsche ich mir eine andere Frau. Eine mit
zwei Augen. Und sie soll eine Sängerin sein.«
»Geh nur nach Hause,« sagte der Goldfisch. »Sie singt
dir schon etwas.«
Als der Fischer heimkam, eilte ihm aus der Cottage ei-
ne stattliche Dame mit zwei Augen entgegen. »Du mei-
ne Seele, du mein Herz!« sang sie nach der Schumann-
schen Komposition und flog ihm in die Arme. Voll in-
niger Liebe küßte sie ihn, und mit Behagen hielt er still.
Da sie ihm sagte, nun möge er seinerseits sie auch ein-
mal küssen, erwiderte er, er müsse erst prüfen, ob sie

59

solch ein Glück auch verdiene. Doch schließlich zeigte er sich zufrieden; und mit lieben Worten führte er sie ins Haus.

Bald aber begann er zu fürchten, ihr Gesang möge den Leuten besser gefallen als der seinige; und da er noch dazu bemerkte, daß sie mit ihren beiden Augen auch seine zahlreichen Fehler wahrnehme, fuhr er sie eines Tages heftig an: ihr Gesang sei ihm gar nichts, sie möge gefälligst den Mund halten. Erschrocken schwieg die Sängerin; nie war jemand so unfreundlich mit ihr verfahren und so glaubte sie, ihr Mann müsse wohl einen triftigen Grund zu seiner Heftigkeit haben; und demütig ließ sie sich, da er es verlangte, ihr eines Auge mit einem Tuche verbinden. Nunmehr konnte auch sie seine Schwächen nicht mehr erkennen, unterwarf sich ihm in allem und wurde noch nachgiebiger als die Einäugige gewesen war, da sie die Ursache zu jeder Mißhelligkeit in sich selber suchte.

Dessen aber wurde der Fischer bald überdrüssig. Er brummte über ihr verbundenes Auge und ihren verstummten Gesang, ohne sich die Schuld daran beizumessen. Und eines Tages, gerade zehn Monate nach seiner Verheiratung mit der Sängerin, ging er ans Meer, um den Goldfisch aufs neue zu konsultieren.

Eine dunkle Wolkenwand war im Westen aufgezogen, und in ihrem Widerscheine lag das Meer trüb, wie flüssiges Blei, zu seinen Füßen.

Der Fischer legte seine Hände an den Mund und rief:
»Manntje, Manntje Timpe Te,
Goldfisch in der tiefen See,
Mine Fru, de Ilsebill,
Is nich so, als ick woll will!«

Der Fisch steckte seinen rotgoldenen Kopf aus dem Wasser und fragte: »Na, wie willst du sie denn?«

»Vornehm, recht vornehm,« sagte der Fischer. »Eine Gräfin bin ich zum mindesten wert.«

»Geh nur nach Hause,« sagte der Goldfisch. »Die Gräfin wartet schon.«

Beim Eintritt in sein Heim fand der Fischer eine vornehm aussehende Dame im Zimmer stehen, die ihm huldvoll lächelnd die Hand zum Kusse reichte. Sie nannte ihn »mon cher«, sprach nicht viel und hatte stets das gleiche angenehme Lächeln für ihn. Durch ihre ruhige Noblesse imponierte sie ihm ungemein und so fühlte er sich zunächst sehr glücklich. Ob sie seine Vorzüge und Fehler erkenne oder seine Interessen teile, konnte er nicht herausbekommen. Das begann ihn nach einer Weile nervös zu machen. Und nach zehnwöchentlichem Beisammensein, da sie ihm einst in bezug auf eine sehr ernste und ihm wichtige Angelegenheit nichts zu antworten wußte, als durch ihr gewohntes unveränderliches Lächeln, riß ihm plötzlich die Geduld und er ließ sie mit heftigen, bösen Worten an.

Kühl wandte sie nach ihm den Kopf zur Seite und sagte mit überlegengleichgültiger Freundlichkeit: »Menagier dich, mon cher. Du läßt es heute zu sehr merken, daß du weiter nichts bist, als ein ganz gewöhnlicher Fischer.«

Das traf ihn wie ein Peitschenschlag. Aufs bitterste verletzt, eilte er spornstreichs an den Meeresstrand hinaus. Ein Sturm hatte sich aufgemacht, trieb dunkles Gewölk vor sich her, wie fliehende schwarze Vögel, und wühlte in den wilden Wellen, daß sie ihren

Schaum hoch in die Luft warfen. Kreischende Möven
kämpften gegen den Wind und umschwärmten unru-
hig die eilig heimkehrenden Boote.
Der Fischer stand im Sande und die hastigen Wellen
griffen nach seinen Füßen, während er rief:

> *»Manntje, Manntje Timpe Te,*
> *Goldfisch in der tiefen See,*
> *Mine Gattin, de Komteß,*
> *Hat so was Phlegmatisches.«*

»Wie möchtest du sie denn jetzt haben?« fragte der
Goldfisch, in der Nähe des Fischers auftauchend.
»Etwas Besonderes möcht' ich: die schönste Frau der
Welt will ich haben,« sagte der Fischer in einem Tone,
als fordere einer, dem man Unrecht getan, sein gutes
Recht.
»So geh nur heim,« sagte der Goldfisch. »Du wirst
dich wundern.«
Gespannt rannte der Fischer seiner Hütte zu. Auf dem
Sofa seines Zimmers lag eine über alle Beschreibung
schöne Frau in einem duftigen Hausgewande. Das vol-
le, blaßgoldene Gewölk ihres Haares warf einen
durchsichtigen Schatten auf ihre kleine weiße Stirn;
unter langen, gebogenen, schwarzen Wimpern schim-
merten Augen hervor, die in ein Reich süßester Ge-
heimnisse zu locken schienen... Nachdem sie dem Fi-
scher, der ganz entgeistert dastand, ihre beringte kleine
Hand gereicht, hielt sie sich das feine Näschen zu und
befahl ihm, sofort ein wohlriechendes Kräuterbad zu
nehmen, um den unerträglichen Teer-, Tran- und
Fischgeruch zu verscheuchen. Pikiert, aber respekt-
voll kam er dieser Weisung nach. Darauf kraulte sie
ihm das Haar, nannte ihn »süßer Edgar«, obwohl er

Anton hieß, ließ sich von ihm bedienen und schickte ihn bald hier-, bald dorthin, so daß der arme Fischer gar nicht mehr zur Ruhe kam. Er mußte das ganze Hauswesen besorgen und seiner Schönheit Kammermädchendienste leisten. Innerhalb einer Woche hatte sie ihn durch Anschaffung der luxuriösesten Toiletten in schwere Schulden gestürzt, so daß er nicht aus noch ein wußte. Dabei beunruhigte es ihn nicht wenig, daß sie ihn bald Edgar, bald Roderich, bald Werner nannte; fragte er, ob das Launen oder Reminiszenzen seien, dann lachte und küßte sie wie eine Tolle, frisierte ihn à la Wahnsinn oder biß ihm die Schnurrbarthaare einzeln ab…

Nach zehn Tagen schickte sie ihn auf den Fischfang. Sie selbst weigerte sich mitzufahren… Als er, von Unruhe getrieben, nach kurzer Zeit zurückkehrte, fand er seine Schönheit am Fenster stehen, den goldblonden Kopf an die prächtig wattierte Brust eines stattlichen Offiziers gelehnt.

Mit einem Schrei schmerzlichster Entrüstung prallte er zurück und lief, so schnell seine Füße ihn tragen wollten, ans Meer.
Aber wie hatte das Antlitz der Natur sich verfinstert! Ein niederzischender Regen peitschte Narben in die siedende Flut, über der sich gestaltlose, schwarze Wolkenungeheuer tiefer und tiefer niedersenkten. Der heulende Sturm riß schwarze Abgründe auf und sog spitzige Wellen empor, die sich wie Segel bogen und ihren Schaum gegen das Ufer spritzten.
An einen Kreidefelsen geklammert, rief der Fischer in das wilde Wetter hinaus:

>*Manntje, Manntje Timpe Te,*
  Goldfisch in der tiefen See,
  Mine Schönheit, mine Fru
  Is mit Annern du und du!«

Aus den wirbelnden Wellen klang es wie ein Kichern. Der goldene Schuppenkopf hob sich und fragte: »Na, wie denkst du dir denn die Nächste −?« »Nur nicht wieder so eine Leichte!« rief der Fischer. »Lieber eine ganze Strenge − das Vornehmste, was zu haben ist, und sollte es die Kaiserin-Mutter selber sein.«

»Geh nur nach Hause,« sagte der Goldfisch, »sie regiert bereits.«.

Daheim fand der Fischer sein Zimmer voller Menschen. Inmitten auf einem erhöhten Sessel saß eine stolze Frau und ließ sich von einem der sie umringenden Herren Vortrag halten. Sie gab ihre Meinung ab, rief einen nach dem andern zu sich heran, nahm Bittschriften in Empfang und erledigte sie. Beamte mit Akten, Briefen und Depeschen gingen aus und ein; Ernennungen und Verleihungen wurden vorgeschlagen und erwogen... Der Fischer stand bald auf dem einen, bald auf dem andern Fuß; niemand schien ihn zu bemerken... Endlich wandte sich die Kaiserin ihm zu.

»Du wünschst, mein Lieber −?« fragte sie herablassend.

»Kuckuck noch einmal!« platzte der Fischer heraus, »sind wir nun eigentlich miteinander verheiratet oder nicht?!«

Die Kaiserin errötete unwillig und sagte mit eisigem Tone:

»Sobald wir für persönliche Angelegenheiten Zeit finden, soll der Kanzler die Akten über diese Materie prüfen. Einstweilen muß ich bitten, den Gang der Geschäfte durch dergleichen Lappalien nicht aufzuhalten.«

So stand der arme Fischer und wartete. Aber länger als zehn Stunden hielt er es nicht aus. Er war wie gerädert. Mit wirren Sinnen und äußerst aufgebracht verließ er das Haus und kämpfte sich durch Sturm, Regen und Hagel dem Meere zu.

Inzwischen war die Wut der Elemente bis aufs Höchste gestiegen. Aus dem verfinsterten Himmel senkten sich strudelnde Wasserhosen nieder und drehten sich in rasenden Wirbeltänzen über die Wogen dahin, die laut aufschreiend schaumweiße Arme wie um Hilfe emporstreckten. Die Erde erbebte unter Stößen; murrenden Stimmen aus ihrer Tiefe gaben die Donner der Höhe schreckliche Antwort.

Taumelnd versuchte der Fischer sich auf den Füßen zu halten, während er mit sich überschlagender Stimme in das Toben hinausschrie:

> »Manntje, Manntje Timpe Te,
> Goldfisch in der tiefen See,
> Mine Fru, de Kaiserin,
> Lätt nich dat Regieren sin!«

»Da haben wir's!« triumphierte der Goldfisch, dicht vor dem Fischer auftauchend. »Und was für eine willst du nun?«

»Eine?!« rief der Fischer verzweifelt. »Ich sehe es ja: eine ist nie die Richtige. Die Auswahl muß ich haben! Eine große Auswahl! Jetzt will ich die heilige Ursula mit allen ihren elftausend Jungfrauen!«

Da erscholl ein furchtbarer Donnerschlag; und plötz-
lich war das Toben gestillt. Aus der sich glättenden See
glitzerte das goldene Rot des Fisches; und mit kühl-
nüchterner Stimme sagte er: »Geh nur nach Hause —
da sitzt wieder deine Einäugige.«
Und so geschah es. Da der Fischer seine Hütte betrat,
fand er seine erste Frau, die vor Seligkeit ihre Vorwürfe
hervorschluchzte und jauchzte. Ganz niedergeschmet-
tert, ließ er sich huldvoll umarmen; und sie blieben ihr
Lebtag vereint.
Und so war es auch das einzig Richtige.

Tannhäuser

»... Er ist fort —!« sagte Venus entgeistert, als komme
ihr das Unabänderliche erst jetzt zum Bewußtsein, und
ihre Götteraugen füllten sich langsam mit Tränen.
»Er ist fort!« wiederholten ihre Dienerinnen traurig.
Sie alle hatten Tannhäuser geliebt.
Da Venus die Bestätigung ihres Kummers von den
Lippen anderer hörte, warf sie sich schluchzend auf ihres Lagers Purpurdecken und weinte in ihre schweren
goldenen Haare hinein.
Niemand wagte einen Laut.
Da hob sich der Türvorhang; mit einer goldenen Laute
hielt der Eintretende, ein lockiger Knabe, den schweren brokatenen Stoff zurück und fragte mit den Augen,
wie es um seine Herrin stehe. Trotz der abwehrenden
Finger der Dienerinnen schlich er näher, trug ein Schemelchen herbei und setzte sich lautlos neben das Ruhe-

bett; er sah Venus' weiße Schultern in stummem Weinen zucken, und gleichsam fragend berührte er leise die Saiten seiner Laute.

Bei dem Mollklang des Arpeggio fuhr Venus empor und ihr Blick klagte: Du marterst mich!

Aber nachdem sie ein Weilchen noch heftiger geweint, wurde sie plötzlich ruhig, und auffordernd hob sie Kopf und Augen gegen das Kind.

Es begann ein wehmütiges Präludium und setzte dann mit sanfter heller Stimme ein.

Dies war es, was der Knabe sang:

»Er ist fort, der Beglückende und Beglückte! Den perlengestickten Schleier des Rausches riß er entzwei, daß die Perlen in einzelnen Tränen herabfallen.

Von der warmen Süße der Liebe übersatt, entfloh er zu bitteren Wintern — aus weichen Kissen zu harten Felsenkanten.

Aber er wird wiederkommen! Der da die Liebe liebt und nicht die Geliebte — er kehrt zurück. Von Glück zu Glück tastet er sich weiter, und er sieht nicht, daß der Gitterbau rund ist.

Für sein Lied braucht der Sänger den Wechsel von Leid und Glück, von Herbigkeit und Süße. Und dein Liebster ist ein Sänger.

Er wird wiederkommen!«

Der Knabe schwieg. Staunend blickte Venus ihm in das klare, ahnungslose Kindergesicht.

»Wer hat dich das gelehrt, Kind?« fragte sie, den Kopf emporgestützt. Allein der Knabe wurde plötzlich verlegen und mürrisch und schlich hinaus; denn er wußte nicht, was antworten.

* * *

Tannhäuser aber sang sein Lied auf der Oberwelt vor der schönen Elisabeth von Thüringen. Doch sein Sängerherz ließ ihn nicht ruhen. In der Hingebung und in der Buße suchte er Frieden und Beharren; und er wußte nicht, daß Friede und Beharren nicht für Sängerherzen geschaffen sind.

Im fernen Ungarn fand er eine weite Erdhöhlung und ging hinein. Es war ein anderer Eingang zum Venusberg. Seine unterirdischen Gänge erstreckten sich durch alle Länder, und überall führen Tore zu ihm herein.

Venus trat ihm entgegen, und er erkannte sie nicht, obwohl sich nichts weiter an ihr verändert hatte, als die Farbe der Haare. Seit kurzem färbte sie sie schwarz...
Für das nächste Wiedersehen wird sie sie braun färben.

Don Juans Lehrjahre

Jedem Psychologen gilt es als verbürgt, daß Don Juan, gleich jedem andern, es mit seiner ersten Liebe ernst meinte. Wenigstens in der ersten Zeit.

Gläubig schwur er ewige Treue; und nachdem er mit seinem Mädchen das erste Glas Champagner getrunken hatte, wurde er innig und sprach sogar vom Heiraten.

Sie hatte nur genippt und war deshalb bei Verstande geblieben.

»Du bist ja viel zu jung, mein Hänschen!« sagte sie zärtlich lächelnd.

Wahrscheinlich hieß sie Ines. Ihre Haare trug sie goldblond gefärbt und ihre Augen waren braunsamtene Stiefmütterchen.

Er flammte auf und lockerte unwillkürlich den Degen.

»Zu jung –? Carracho! Willst du mich zu einem dummen Jungen machen?«

»Nein. Aber du mich zu einem dummen Mädchen.« –
Sie hielt ihm die Hand fest und drückte ihre Lippen da-
gegen. »Ich habe dich viel zu lieb, um dich zu heiraten
– dafür wirst du mir eines Tages dankbar sein...«
Und sie besänftigte ihn auf ihre unfehlbarste Weise.
Ihre Prophezeihung erfüllte sich: Don Juan erlebte
den Tag, da er Ines' Ablehnung als ein Glück emp-
fand. Es war dies der Tag, an dem er sich seiner Liebe
zur Zweiten bewußt wurde.
Er bewies Ines seine Dankbarkeit, indem er sie verließ.
Anstatt diesen Beweis für vollgültig zu nehmen, geriet
Ines außer sich und bereute unter heißen Tränen, den
Geliebten nicht geheiratet zu haben.
So töricht können gescheite Mädchen sein, besonders
in der Liebe...
Möglicherweise hieß die Zweite Conchita. Löste sie ihr
dunkles Haar, so schleifte es ihr auf dem Boden nach;
und ihre Augen waren schwarze Flammen.
Mit ihr sprach er schon gar nicht mehr vom Heiraten.
Er war eben älter geworden.
Da sie ihn blindlings anbetete und ihm jedes Wort
glaubte, gab er ihr gegenüber jeder seiner Launen
nach. Besonderen Spaß machte es ihm, ihr zu sugge-
rieren, daß sie seiner tief unwert sei. Wollte er sie weinen sehen, so schrieb er in ihrer Gegenwart Briefe an
Ines – schrieb, er sei mit ihr allein glücklich gewesen
und bereue bitter, sie um Conchitas willen verlassen zu
haben. Und solche Briefe las er Conchita vor.
Dann schleppte sie sich verzweifelt weinend auf den
Knien zu ihm hin und beschwor ihn, zu Ines zurück-
zukehren. Sie wolle nur sein Glück. An ihr selbst liege
ja nichts – sie, die seiner Unwürdige, wolle sterben,

*denn sie sei ja durch seine Küsse unverdient glücklich
gewesen und habe nichts weiter vom Leben zu erwarten.*

*Es begreift sich, daß dies für Don Juan eine hübsche
Unterhaltung war.*

*Im Grunde dachte er gar nicht daran, zu Ines zurück-
zukehren, denn Conchita, sprühend und wechselnd,
dünkte ihn viel reizvoller. −*

Dann sah er die Dritte.

*Sie war groß und schlank wie eine Säule und trug den
Kopf hoch, was ihr nicht schwer wurde, denn es war
nichts darin.*

*Reich war sie und vornehm. Und Don Juan meinte,
nun sei es wirklich Zeit zum Heiraten.*

Es ist anzunehmen, daß diese Dritte Urraca hieß.

*Sogleich schrieb er an Conchita: »Ich habe ein Weib
gefunden, das Meiner würdiger ist, als du. Ich werde
sie heiraten. Von Zeit zu Zeit werde Ich dir schreiben,
um dir über deinen gerechten Kummer hinwegzuhel-
fen.«*

*Und gebrochen ging Conchita zu ihm und küßte de-
mütig seine Hände und wünschte ihm Glück zu der
Ehe mit derjenigen, die seiner würdiger sei als sie.*

*So töricht können gescheite Mädchen sein, besonders
in der Liebe…*

*Ein paar Wochen lang ließ Urraca sich von dem schö-
nen Don Juan Ständchen bringen und anschmachten.
Endlich ging sie auf sein Drängen zu ihrem Vater und
sagte, sie wolle ihren Anbeter heiraten.*

*Don Gusman aber zerbrach zornig seinen Degen und
rief: »Hüte dich, meine Tochter! Dieser Don Juan ist
ein Don Juan − heiratest du ihn, so enterbe ich dich.«*

Abends im Garten, da es so dunkel war, daß die Blüten der Granatbäume nicht mehr rot erschienen, flüsterte Urraca Don Juan unter Küssen zu, daß ihr Vater seiner Werbung abgeneigt sei.

Wieder rief Don Juan: »Carracho!« und griff an seinen Degen. Sein verletztes Selbstgefühl peinigte ihn so sehr, daß er seines Versprechens, Conchita zu schreiben, vergaß: Auf dem steinernen Fußboden ihres Gemaches lag die Verlassene mit zerrauftem Haar und fragte sich, was sie dem noch immer Angebeteten angetan haben könne, daß er sie durch ein so grausames Schweigen strafe.

Sie wußte nicht, daß Don Juan sich Frauen gegenüber selbst durch Ehrenwort nicht für gebunden hielt.

Urraca aber ließ sich Mund und Hände küssen, und es dünkte sie süß. Heimlich hielt sie dabei fleißige Umschau nach einem Andern, der ihrem Vater genehmer sei; denn es war ihr fester Vorsatz, sich nicht enterben zu lassen.

So gescheit können dumme Mädchen sein, besonders in der Liebe...

Davon ahnte Don Juan nichts. Ihn verließ die Geduld, und er beschloß, seine Schöne gewaltsam zu entführen.

In einer Nacht, die schwärzer war, als Urracas Haar, und undurchsichtiger als ihre Seele, drang er in ihr Haus ein. Eine Männergestalt, die ihm entgegentrat, ward von seiner Klinge tödlich getroffen.

Urraca stürzte mit Licht herbei und warf sich, wie es sich geziemt, über ihres Vaters Leiche.

»Komm! Komm doch! Nun bist du ja mein!« rief Don Juan und versuchte sie aufzuheben.

Sie aber klammerte sich noch fester, hob nur den Kopf und schluchzte: »Nicht vor der Testamentseröffnung! Straft er unsere Heirat mit Enterbung, so muß ich, o einzig Geliebter, auf dich verzichten! Gedulde dich bis zur Testamentseröffnung!«

Nach diesen tiefgefühlten Worten gab sie sich von neuem ihrer Trauer hin.

Tiefsinnig schritt Don Juan hinweg... Die Zeit bis zur Testamentseröffnung dünkte ihn lang.

Da erinnerte er sich plötzlich Conchitas und ihrer stets geduldigen demütigen Liebe.

Er holte seine Laute, ging unter Conchitas Balkon und brachte ihr ein Ständchen.

Auf den Balkon hinaus, in schwarze Schleier gehüllt, trat die Unglückliche, so daß ihr Gesicht allein in dem Dunkel der Nacht sichtbar wurde. Wie ein bleiches, trübes Gestirn schwebte es heran.

»Wer verhöhnt mich?« fragte sie.

»Ich bin es. Ich verhöhne dich nicht!« sagte Don Juan. »Öffne das Tor! Mich verlangt nach deinen Küssen – bis zu Don Gusmans Testamentseröffnung!«

So dumm können gescheite Männer sein, besonders in der Liebe...

Und er wartete und wartete und klopfte ans Tor; aber das Tor blieb verschlossen; und das bleiche Gestirn war in der schwarzen Nacht untergegangen...

Da ergrimmte Don Juan und riß mit seinem Degen in den Anstrich des Haustors die Worte:

»Ich wußte immer, daß du Meiner nicht wert warst, kalte Spötterin!« –

Ohne die Testamentseröffnung abzuwarten, verließ er die Stadt.

Damit begannen Don Juans Wanderjahre.

In der nächsten Stadt küßte er das nächstbeste Weib, das ihn anlachte, und beim Wein erzählte er ihr von ihren drei Vorgängerinnen.

Allein sie verwechselte fortwährend die Namen und machte ihn ungeduldig; deshalb legte er ein Register an und ließ sie es auswendig lernen.

Mit dem Register kam ihm der Ehrgeiz, es zu verlängern.

Er eilte von Ort zu Ort, von Weib zu Weib. Das Register wurde immer länger, und Don Juan wurde immer mehr Don Juan.

Wollte er einem neuen Weibe von ihren Vorgängerinnen erzählen, so mußte er selber häufig in das Register blicken, denn der Namen waren allgemach zu viele geworden.

Außerdem begann sein Gedächtnis bedenklich nachzulassen...

Als endlich der Teufel erschien, Don Juan abzuholen, zeigte der Höllenkandidat sich aufs tiefste überrascht und entrüstet und verwies den Gehörnten auf jene drei ersten Frauen seines Registers, das er herbeiholte, um ihm ihre Namen und Adressen mitzuteilen. Denn sie allein seien für seinen späteren Lebenswandel verantwortlich zu machen.

Ines habe ihn nicht heiraten wollen.

Urraca habe ihn mit dem Testamente genarrt.

Die Verworfenste aber sei Conchita, die ihn nicht wieder angenommen habe, da er liebend zu ihr habe zurückkehren wollen.

Der Teufel lachte so herzlich, daß seine Großmutter vor die Höllentür gelaufen kam; und im Vorbeigehen

drückte er ihr das Register in die Hand, als mitgebrach-
tes Reisegeschenk.

Denn sie liest für ihr Leben gern, des Teufels Großmutter; und die Leihbibliothek der Hölle hat sie bis auf
den neuesten Band von Stanislaus Przybyszewski bereits durchgeackert...

Die drei Nixen

In einer Vollmondnacht begegneten sich auf einer Waldwiese, wo von verschiedenen Seiten kommend drei Quellen zusammenflossen, die drei Nixen: Melusine, Undine und Rautendelein.
Eine feuchte Traurigkeit war durch die Luft ergossen und gab dem Rund des Mondes eine dumpfe Blässe. Den Blumen schien sein kaltes Licht die Farbe ausgesogen zu haben, so bleich standen sie da und tupften fahle Pünktchen in das dichte Gras.
Die drei Nixen schienen an schweren Gedanken zu schleppen. Langsam kamen sie heran, jede einen feuchten Schleierzipfel hinter sich herschleifend. Erst als sie dicht voreinander standen, hoben sie die Augen und bemerkten einander.
Mit langen Blicken prüften sie sich gegenseitig.
»Ach wie ihr traurig seid, meine Schwestern −!« brach Melusine, die Älteste unter ihnen, das Schweigen.

»Und du erst —!« sagte Undine, die Zweitälteste, hob ihren Schleier und nahm damit den Rest einer Träne von Melusinens Wange hinweg.

Rautendelein aber, die Jüngste und Lebhafteste unter ihnen, bückte sich, brach eine Handvoll Blumen und sagte: »Wenn eine von uns Kummer hätte, und die zwei anderen lauter Glück und Jubel, so wäre die eine Traurige umso schlimmer daran. Kommt, wir erzählen uns unsere Schmerzen und tragen sie zu dritt, daß sie leichter werden. Seht hier diesen Steinblock — auf den wollen wir uns hinsetzen. Gleich uns ist er hochgeboren und dann hinabgeschleudert worden in die Trübsal des Erdendaseins. Zu ewiger Heiterkeit waren wir erschaffen worden — aber die Menschenwelt zog uns an und lehrte uns weinen.«

»Menschen —? Sag doch Männer!« fiel Undine ein.

»Da ich einen menschlichen Gemahl besaß, erzählte er mir von einem nun toten, wunderschönen Volke, das er die Griechen nannte. Ihre Götter gingen auch zu den Menschen hinab und liebten irdische Frauen. Aber sie kamen durch diese Frauen nicht ins Verderben. Sie blieben glücklich und ließen oft genug zerstörte Frauenleben hinter sich, wenn sie wieder in ihre Himmel zurückflogen; oder sie überließen die Opfer ihrer Liebe der Rache eifersüchtiger Göttinnen…«

»Du sagst das Richtige,« unterbrach Melusine. »Wir aber sind nicht nur die Opfer der menschlichen Männer — wir sind auch die Rächerinnen der Menschenfrauen. Ich wenigstens —«

»Warte —!« sagte Rautendelein. Mit flinker Anmut hatte sie sich auf den Steinblock hinaufgeschwungen und flocht ihre Blumen zusammen, »Laßt uns alle sit-

78

zen, und ich flechte euch meine Blumen in die Haare, wie ich es mir selbst zu tun pflege. Hier − hier ist Platz!«

Nun saßen sie hingelagert; und der Mond freute sich an dem schönen Bilde und hörte mit wehmütiger Spannung zu.

»An meinem Quell im Walde,« begann Melusine, »lernte ich den jagdverirrten Grafen Raimund kennen und lieben. Er war schön und meinte es treu; und ich dachte, wie die meisten Mädchen, mit der Heirat käme der Lebensroman zu einem fröhlichen Ende.

Aber ich bekam eine Schwiegermutter...

Meine treuen Schwestern, die mich redlich gewarnt hatten, wie es unverheiratete Freundinnen zu tun pflegen, richteten mir ein opulentes Badezimmer ein, indem sie mir meinen Quell in ein geheimnisvolles Gebäude leiteten. Jeden Sonnabend badete ich mich dort mit ihnen. Heilig hatte Raimund mir auf mein ernste Warnung hin versprochen, diesen Bau niemals zu betreten. Aber, liebe Mit-Nixen, Männer sind neugierig! Raimund war es um so mehr, als seine Mutter ihm weisgemacht hatte, ich trüge eine kunstvoll angeklebte Perücke, die ich nur im Bade ablegte... Damit stachelte sie ihn auf, in das Heiligtum einzudringen. Tief verletzt von der Indiskretion meines Gemahls, der ein Frauenbad nicht respektierte, rissen meine Schwestern mich mit sich hinweg; auch der Quell machte kehrt, in unsern Wald zurück, wo ich trauernd saß... Und Raimund wurde es in den einsamen Zimmern unbehaglich. Er machte sich auf, mich dort zu suchen, wo er mich zuerst gesehen hatte. Ich fand ihn weinend an meiner Grotte sitzen; und zur Strafe für seinen Ver-

*dacht wegen der blonden Perücke erfüllte ich seinen
Wunsch, ihm den letzten, den tödlichen Kuß der belei-
digten Nixe, zu geben. Ich küßte ihn tot, den geliebten
Wortbrüchigen – und blieb einsam...«*

*Weinend verbarg Melusine ihr schönes, bleiches Ge-
sicht in den Händen, so daß einzelne der Blumen, die
Rautendelein ihr während des Erzählens um die Schlä-
fen gewunden hatte, ihr auf den Schoß und hinunter
ins Wasser glitten.*

*»Seltsam ähnlich ward uns das Schicksal gewoben!«
sagte Undine erstaunt. »Fischersleute am See zogen
ahnungslos mich Nixenkind auf; mein Oheim Kühleborn aber behielt mich im Auge. Einst kehrte der schöne Ritter Hugo von Ringstetten im Fischerhause ein; er
sah und liebte mich, führte mich als seine Gattin mit
sich und verlieh mir, zu seinem eigenen Erstaunen, eine fühlende Menschenseele – ein Etwas, das die Männer bei ihren Frauen gewöhnlich für ganz überflüssig
halten...*

Aber er hatte eine Jugendfreundin ––

*Die fühlende Seele bereitete mir fast ausschließlich Un-
gelegenheiten.*

*Zuvörderst gleich quälte sie mich mit gerechter Eifer-
sucht auf die Jugendfreundin meines Gemahls, das
Fräulein Bertalda. Sie wußte Hugo zu umgarnen und
ihn wegen seiner Mesalliance mit mir unzufrieden zu
machen. Meinen Oheim Kühleborn zum Beispiel, einen Kavalier vom reinsten Wasser, erklärte sie für den
Wasserleitungs-Installateur... So mußte ich in die kalte
Feuchtigkeit zurück, wo ich mit meiner fühlenden Seele mir gänzlich deplaziert erschien. Deshalb stieg ich
am Abend von Bertaldas und des bereits reuigen Hu-*

*gos Hochzeit im Schloßbrunnen empor; und mein töd-
licher Kuß rettete ihn vor der unglücklichen Ehe mit
der Xanthippe Bertalda.«*

*Mit den mondgrünen Augen starrte Undine in eine ver-
schwimmende Ferne, wo das Glück und die Demütigungen ihrer Liebeszeit lagen...*

»Verzweifelt nicht, Schwestern!« sagte Rautendelein.
*»Ihr wenigstens seid frei; und wendet ihr den Kopf in
die Vergangenheit zurück, so schneiden euch keine
Gegenwartsfesseln in die zarte Haut. Ich aber wußte
mir keinen andern Rat, als eine Konvenienzehe mit
dem häßlichen Nickelmann einzugehen, der so unre-
putierlich aussieht, daß ich mich geniere, am Sonntag
Nachmittag mit ihm in den Wald zu gehen. Der Wald-
schrat, mit dem ich einst als lustiges elbisches Wesen
Neckereien trieb, würde mich schön necken... In jener
tollen Mädchenzeit fand ich einmal einen wunden
Mann vor meiner Tür, den begleitete ich heim und
pflegte ihn gesund. Dann entfloh er mit mir ins Gebir-
ge, wo er von mir zu großen künstlerischen Taten be-
geistert zu werden wünschte. Ich begeisterte ihn auch
und konnte doch wirklich nichts dafür, daß sein Talent
nicht soweit reichte, wie sein Ehrgeiz. Laßt euch nie
mit Künstlern ein, geliebte Schwestern!*

Außerdem hatte Heinrich eine Vergangenheit.«

»Die haben alle Männer!« riefen unisono Melusine
und Undine.

»Gewiß, liebe Gespielinnen,« gab Rautendelein zu.
*»Aber keine in der Form einer unterseeischen Glocke,
die plötzlich sich zu regen beginnt und wie ein Gewis-
senstorpedo das Glücksschiff der Gegenwart in die
Luft sprengt... Wenn schon ein Mann die Ehe bricht,*

darf er wenigstens kein Gewissen haben. Daher das Wort Gewissensehe – lucus a non lucendo... Nun – die Glocke tat ihre Schuldigkeit; und Heinrich verließ mich zu einem Zeitpunkt, wo ich mich gezwungen sah, Nickelmanns langes Werben zu erhören ... Ach, der arme Heinrich –! Der doppelte Luxus einer Vergangenheit und eines Gewissens brach ihm den Hals. Als er zu mir zurückgewankt kam, hatte ich gar nicht mehr so viel an ihm totzuküssen; aber ich war barmherzig und gab ihm den Rest...«

Rautendelein schwieg. Alles war still; nur die Quellen glucksten leise.

Und dann blickten alle drei Nixen zum Monde hinauf und sahen, daß er lautlos in sich hineinlachte und sein Wolkentüchlein dazu benutzte, sich die Lachtränen abzuwischen.

Und Melusine, die sich zuerst gefaßt hatte, sagte kleinlaut: »Also ist mein Schicksal nicht einmal etwas Außergewöhnliches!«

»Und das meine ebensowenig,« fügte Undine ernüchtert hinzu.

»Aber ihr Schwestern!« rief Rautendelein ungestüm aufspringend und schüttete den Rest ihrer Blumen ins Wasser. »Ist es nicht das höchste und größte Weiberschicksal, geliebt und sich gerächt zu haben? Und haben wir durch unsere Rache nicht zugleich die Liebsten von einem verkrüppelten Leben befreit? Kommt, tragen wir unser Geschick mit Nixenwürde und weihen wir unseren drei Totgeküßten einen Erinnerungstanz!«

Und sie reichten einander die Hände und tanzten um den alten Steinblock einen anmutig feierlichen Reigen.

Der Mond aber, der sich selber ausgelacht hatte, weil seine Erwartung, etwas Neues zu hören, wieder einmal vergeblich gewesen war, wurde ernsthaft und sah dem lieblichen Schauspiel mit Genuß und Freude zu.

Und dabei dachte er: das Schicksal, von drei solchen Frauen geliebt und totgeküßt zu werden, sei für drei solche Jammermänner, wie Raimund, Hugo und Heinrich viel zu gut und zu schade…

Die Loreley

»Sei verflucht!« rief er. Denn sein Boot war an eine
Klippe gestoßen, und fast wäre es umgeschlagen. Der
Strom trieb es so nahe ans Ufer heran, daß sein Insasse
sich mit einem Sprunge aufs Land hätte retten können.
Dennoch zog er es vor, im Boote zu bleiben und aber-
mals hinaufzuspähen, dorthin, von wo der orgelstarke
Gesang zu ihm niederscholl, und wo einer goldenen
Fahne gleich die langen sonnenbeglänzten Haare im
Winde flatterten.
Da sie eben mit einer Strophe ihres wilden, phantasti-
schen Liedes zu Ende war, nutzte er den Augenblick,
sein Fluchwort zum zweiten Mal hinaufzurufen, diesmal so laut, daß sie es nicht überhören konnte. Ver-
wundert horchte sie auf, stützte beide Hände auf die
Harfe und blickte darüber hinweg, indem sie sich vor-
beugte, um den Rufer zu sehen.

*Er blickte in ein Paar reine, kindlich erstaunte Mäd-
chenaugen. Auf die verführerischen Blicke einer Sire-
ne war er gefaßt gewesen, nun blieb er einen Augenblick sprachlos vor dem Unerwarteten.*

*»Bin ich es, der du fluchst?« rief sie zurück und stieg
ein wenig tiefer hinab, um zu erfahren, wer sie belei-
digte.*
*Sie war noch tausendmal schöner, als er sie sich vorge-
stellt, aber so völlig verschieden von dem Bilde, das er
sich von ihr gemacht, daß er sie stammelnd fragte:
»Aber du bist doch nicht die Loreley?«*
*»Die bin ich freilich,« versetzte sie mit ihrem unschul-
digen Frageblick.*

*Eine Weile verstummte er im Anschauen. Erst nach-
dem sie ihn wiederholt gefragt, warum er ihr geflucht
habe, besann er sich auf alles, was er ihr hatte sagen
wollen; und seine vorsätzliche Entrüstung kehrte zurück.*
*»Warum —?!« Und seine Augen flammten Vernich-
tung. »Weil du mich verlockt hast, hinaufzuschauen,
so daß ich beinahe gescheitert wäre! Nun, einer mehr
— was macht es dir! Dein Lied klingt um so siegreicher
über das nasse Grab aller derer hin, die hier unter deinem Felsen ertrunken sind!«*
*»Sind hier Menschen ertrunken?« fragte sie erschrok-
ken.*
*»Spiele du nur die Unwissende!« rief er heftig. »Du
weißt es nur zu gut. Mit deinem Flimmerhaar und deinem Lied kirrst und verwirrst du uns. Du willst uns
vernichten. Man sagt, daß die Ertrinkenden noch dein
triumphierendes Lachen hören!«*

Fremd und verständnislos blickte sie ihn an. Sie schwieg. Endlich wandte sie sich mit einer ruhigen Bewegung ab und schickte sich an, die Felsstufen wieder emporzusteigen.

»Bleib!« rief er befehlerisch. »Warum verantwortest du dich nicht?«

Sie blieb noch einmal stehen. »Du selber solltest dich verantworten,« sagte sie vorwurfsvoll mit ihrer samtenen Stimme, »weil du mich verklagst, und ich habe doch nichts begangen. Was weißt du von mir?!«

Er starrte in ihr weißes Mädchengesicht und vergaß das ganze Wörterbuch seiner wohlvorbereiteten Empörung. Seine Augen folgten den bewegten goldenen Linien ihrer langen Haare, von denen der Wind hin und wieder einige leichte Stränge aufnahm und tanzen ließ.

»Bleib —«, wiederholte er. Diesmal sagte er es leise, und seine Stimme zitterte.

»Was ist dir?« fragte sie überrascht.

Und er fiel vor ihr nieder, und in Worten, die sich gleich heißen Quellwassern überstürzten, sagte er ihr, daß er ihr alles verzeihen wolle. Alles, was sie andern angetan. Alles, was ihn selbst in Gefahr gebracht. Aber sie sollte ihn anhören. Ihn sollte sie küssen, ihn allein, und nie einen andern nach ihm — und wenn es nur ein armes, einziges Mal wäre…

Der Rhein rauschte und zog lange grüne und goldene Streifen; und die Berge brannten und bluteten in der Abendsonne…

Sie erschrak nicht und wurde nicht zornig. Sie sagte: »Ich verstehe dich nicht. Du klagst mich an, und zu-

gleich sprichst du, als ob du mich lieb hättest. Wie kannst du mich lieben, wenn du schlecht von mir denkst?«

«Laß das jetzt!« drängte er. »Komm herab. Ganz herab. Ich sehe ja deine Macht. Uns alle reißest du hin, und wir vergehen. Aber was ist sterben −! Nur so will ich vernichtet sein, nur durch dich. Du bist nicht ein Weib − das Weib bist du. Unser Fluch und unsere ewige Sehnsucht. Liebe mich!«

»Du fieberst ja, du Armer!« sagte die Loreley mitleidig. »Weder auf dich, noch auf irgend einen habe ich es je abgesehen. Ich weiß nicht, daß ich irgend jemandes Sehnsucht bin. Mein Sein ist es, auf diesem Felsen zu wohnen. Aus seinen Grotten und Höhlen ruft mich die Abendsonne hervor, die mich liebt. Sieh, diesen goldenen Kamm hat sie mir geschenkt, − damit kämme ich mich und singe ihr ein Lied, damit sie sich freut. Ich selber freue mich meiner Haare, wie die Birke sich freut, wenn sie ihre grünen Locken wehen läßt. Ich bin − weiter weiß ich nichts; alles andere ist dein und euer Aller eigener schlimmer Gedanke. Wie kannst du mich für etwas, das nur in euch selber liegt, verantwortlich machen?«

»Ich will nicht, daß du so sprichst!« rief er außer sich. »Du hast meine Augen mit Lied und Schönheit zu dir hinaufgezwungen. Fast wäre ich von der Flut weggerissen und an deinen Felsen zerrieben worden − durch deine Schuld! So laß mich denn in deinen Armen vergehen − komm − komm und laß mich nicht verschmachten! Hast du Hunderte ins Verderben gerissen, so bist du dich Einem schuldig geworden. Ich −

ich muß dieser Eine sein – ich muß glücklich gewesen sein, ehe ich sterbe –«

»Wenn du mich für mein Lied und meine Haare schiltst, dann mußt du die Rose schelten, daß sie rot ist,« sagte sie ruhig. »Ich bin mich nur mir selber schuldig; du brauchtest nicht hinaufzuschauen und zuzuhören. Lebe dein Leben – ich bin nicht für dich!«

Wie auf einen Stab, so stützte sie sich auf ihre Harfe und stieg mit langsamen, großen, elastischen Schritten, von Stein zu Stein sich schwingend, ohne zu springen, am Felsen empor.

Sein Stammeln, Rufen, Ächzen – seine wirren Bitten, seine Verwünschungen, von liebkosenden Worten der Anbetung unterbrochen, folgten ihr. Sie wandte den Kopf nicht mehr; zuweilen nur bog der Wind ihre Haare wie winkende Finger... Da streckte er wild die Arme aus – und abermals geriet sein Boot ins Wanken.

Unwillkürlich warf er sich lang hin auf den Boden des Kahnes. Mag ich denn sterben! dachte er verzweifelt. Heimlich aber wußte er doch, daß er die richtige Bewegung gemacht, um das Gleichgewicht wiederzufinden...

Verstört, erschüttert kehrte er in die Welt zurück.

»Auch ich,« sagte er den anderen Männern, »wäre fast an ihr zugrunde gegangen – an der Zauberin, der Verderberin, der männerverlockenden Hexe! Auch mich hat sie in die Vernichtung hinabstürzen wollen – ich aber habe widerstanden...«

Von den treuen Weinsberger Weibern

So etwas können auch nur die Frauen machen. In der Liebe sind sie entsetzlicherweise ganz ohne Logik.
Die Männer vielleicht auch?
Weiß nicht...
Das war damals 1140. Josef Lauff würde wahrscheinlich sagen: im Jahre des Heils 1140. Kaiser Konrad der Dritte lag vor der Weinsberger Burg, damals noch nicht die Weibertreu genannt. Und als sie sich ihm ergeben mußte, ließ er den Weibern freien Abzug und erlaubte ihnen sogar ihre beste Habe mitzunehmen, so viel sie tragen könnten. Und die Weiber beschlossen, ihre Männer huckepack zu nehmen und als beste Habe bergunter zu schleppen. Jedermann kennt die Geschichte.
Was die Männer wohl mitgenommen hätten im gleichen Falle?

89

Vielleicht ihre Geldsäcke und ihre Bier- und Weinfässer? Ihre Kartenspiele? Ihre Chapeaux claques?
Weiß nicht...
Aber das weiß ich, daß der lange Frieder in schrecklichen Nöten war. Der lange Frieder war Schwertfeger und besaß die gewaltigsten Knochen und wog seine —
Ach so. Damals wurden ja noch keine Menschenknochen gewogen.

Denn diese Geschichte ist streng historisch...
Am Abend vor dem Abzug wurden unzählige Verlöbnisse geschlossen, denn die Junggesellen wollten doch auch von der Burg hinunterbefördert werden. Und die längsten und kräftigsten Mädchen hatten den stärksten Zuspruch; und die großen Soldaten und Troßbuben ärgerten sich, daß der kleine, dürre Burgschneider das zweitstärkste Mädel erwischt hatte. Für den hätte es auch eine kleine getan. Sie hatte zwar schon ihre vierzig auf dem Rücken, war blatternarbig und schielte; aber heut kam es weder auf Schönheit noch auf Jugend an.

An das allerstärkste Mädle aber traute niemand sich heran, da jeder voraussetzte, daß die dem langen Frieder zufallen würde. Eine andere hätte den Riesen, meiner Treu, nie hinunterschleppen können.

's Gertrudle war nicht viel kleiner als er; und sie hatte während der Belagerung mehrmals ganz allein verwundete Männer in ihren schweren Rüstungen von der Mauer fortgetragen, mir nichts dir nichts, als wären es Ziegenlämmchen.

Das Unglück aber war, daß der lange Frieder im letzten Herbst dem Gertrudle den Verspruch aufgesagt hatte um Einer willen, die ihm dann davongelaufen

90

war – gleich mit zwei Anderen. So gehörte es sich auch, wenn sie den Frieder ersetzen wollte, der ja so groß war, wie zwei gewöhnliche Leut...

Nun schlich der Frieder um des Burgwarts Gelaß, denn's Gertrudle war die Burgwartstochter; und natürlich war sie ihm todböse seit seinem Treubruch. Der lange Frieder hätte sich ohrfeigen mögen. Man sollte doch nie... Man konnte nie vorauswissen, wie es einem einmal gehen konnte.

Sicherlich saß sie jetzt und wartete ruhig ab. Es war peinlich zu denken, daß er ihr kommen mußte und gute Worte geben. Das letzte Wort haben war ihm angenehm, aber nicht das erste mitsamt der Verantwortung und möglichen Demütigung.

Aber eintreten mußte er freilich, da sie nicht zu ihm hinauskam.

Sie saß und spann, und das Flackerlicht des Kienspans blitzte bald hier bald da auf ihrem gelben Haar. Die Eltern waren schon zur Ruhe gegangen in Erwartung der morgigen Anstrengung und Aufregung.

So seelenruhig, als ob ein Hund hereingetrottet käme, blickte sie ihm entgegen... Daß sie rot wurde, konnte sie freilich nicht hindern.

»Grüß Gott, Mädle!« sagt er, um es nicht kleinlaut herauszubringen, recht laut und derb.

»Grüß Gott, Bub,« sagt sie. –

»Spinnscht –?« sagt er geistreich.

»Nein, i stech e Kälble ab, wie du siehscht,« sagt sie noch geistreicher.

»Wen tragscht du morge abe?« platzt er heraus, holt sich ein niederes Schemelchen und sitzt neben ihr mit schmachtendem Aufblick.

Sie sieht, daß er es alles wohl berechnet, aber sie möcht
so gern glauben. Es ist einmal so...
»Mei'm Vater sein G'waffen und unsern Hausrat,«
sagt sie.
»Ein Lebendigs wär besser,« sagt er.
»Meinscht —?« fragt sie.
»Jo«, sagt er.
Schweigen. Der Kienspan raucht und der Frieder hu-
stet.

»Fragscht du mi garnit, wer mi abe tragt?« fragt er.
» I denk schon, die Schielig mit dem Blatterng'sicht.
Dir is's ja eins.
Wenn's nur a Weiberrock tragt,« sagt sie.
»Mir is's nimmer eins, Gertrudle... Hascht mi amal
lieb g'habt, Gertrudle!« sagt er.
»G'habt— jo,« sagt sie.
»I hab di heut noch lieb, Gertrudle,« sagt er.
»Heut noch, aber morge nimmer,« sagt sie.
»Morge noch viel mehr,« sagt er.
»Jo — bis i di de Burgberg abetragt hab,« sagt sie. Sehr
unbedacht. Denn nun springt er auf und faßt sie um die
Mitte und küßt sie auf den Hals.

»Also tragscht du mi abe?« schreit er und küßt mit ein
paar Unterbrechungen weiter.
»Laß mi aus, Lackl!«
Sie wehrt sich.
Ob im Ernst —?
Weiß nicht!
»Gertrudle, i weck den Burgkaplan und laß uns glei
z'sammegebe!« ruft der Frieder im Rausch.
Sie sieht ihn an und denkt: Tu es nur! Aber sagen will
sie nichts. Man hat doch seinen Stolz... Und da sie

nichts sagt, tut er es natürlich nicht. Ihr stummes We-
sen macht ihn wieder kleinlaut. Nur nicht zu stürmisch
— nur nichts verderben und sich preisgeben! denkt er.
Und Angst hat er: wenn er jetzt zum Burgkaplan geht,
besinnt sie sich inzwischen anders.
So sitzt er wieder auf seinem Schemelchen und sieht ih-
ren heißen Kopf an, den der Flackerschein des Kien-
spans umhüpft und umschmeichelt, und redet vernünf-
tig von allem möglichen, und dazwischen fragt er von
Zeit zu Zeit: »Tragscht du mi auch ganz g'wiß abe,
Gertrudle?« Dann nickt sie, ohne ihn anzusehen, auf
ihr Spinnzeug hin und ist sehr glücklich. Heute oder
morgen — Burgkaplan oder ein anderer schwäbischer
Pfaff — ganz gleich.
Es ist einmal so...
Ob er sie auch noch lieb hat?
Weiß nicht. Der Frieder ist halt ein Diplomat...

✳ ✳ ✳

Zuweilen gibt es doch etwas Neues unter der Sonne. Je-
denfalls betrachteten Kaiser Konrad und sein Heer den
Anblick, der sich ihnen heute bot, als etwas nie Dage-
wesenes.
Die Morgensonne blies lange goldene Lichter durch
den Morgennebel, als die Weiber der Weinsberger
Burg ihre Eheliebsten, ihre Tyrannen, ihre Quäler, ih-
re Geliebten, ihre Freunde, ihr Spielzeug, ihre Henker
— kurz: ihre Männer und Verlobten huckepack berg-
unter trugen. Jauchzend sprangen die Kinder neben-
her. Die Größeren trugen die Kleineren, die Mädchen
trugen die Buben — sie spielten auf Weinsbergisch
»Mann und Frau«.

Das ganze Heer, das zusah, wußte nicht, ob es lachen oder weinen sollte; und so teilten sie sich in die Arbeit: einige weinten und einige lachten. Und einige dachten: wenn es mit den Schwabenmädle eine solche Bewandnis habe, so sei es vielleicht richtig, sich aus dem Schwabenlande eine Hausfrau für die Friedenszeiten mitzunehmen.

Und als sie die große Gertrud mit dem übermenschlich langen Frieder auf dem Rücken daherwanken sahen, da lachten sie und riefen: «Gotts Donner, das gibt Landsknechte!»

's Gertrudle aber sagte noch immer nichts. Teils weil sie beim Schleppen einer so gewaltigen Last keinen Atem dafür übrig hatte, teils, weil es ihr war, wie ein ungeheurer Glückstraum, daß sie dem immer Geliebten durch ihre Kraft und Aufopferung das Leben erhalten durfte. Das machte sie still.

Und dem Frieder ward immer beklommener dieser Stummheit gegenüber. Zuerst hatte er der, so ihn bergab trug, schalkhaft das Knie in die Hüfte gestoßen; aber da sie nur den Kopf gesenkt hatte, und er ihr verträumtes Lächeln nicht sehen konnte, so hatte er wieder aufgehört und hing ihr stumm und reglos wie ein Sack auf dem Rücken.

Ob er mich wohl einmal in den Nacken küssen wird, zwischen die Löckchen, die er damals so gern hatte —? dachte 's Gertrudle. —

Was sie wohl vorhat —?! dachte der Frieder.

Ob er wohl gleich zum nächsten Pfaffen gehen wird, der uns zusammengibt —? dachte 's Gertrudle.

Irgend eine Rache klügelt sie aus. Sicher setzt sie mich

angesichts des kaiserlichen Heeres irgendwo ab und macht mich zum öffentlichen Gelächter, dachte der Frieder.

Er denkt darüber nach, wie er alles am besten wieder gut machen kann, dachte 's Gertrudle.

Vielleicht auch, wenn wir unten am Rande des Burggrabens sind, gibt sie einen Ruck und schmeißt mich ins Wasser, das falsche Ding, dachte der Frieder.

Wie er sich zurückhält —! Er will mich vor den Leuten nicht beschämen. Nachher macht er alles durch doppelte Zärtlichkeit wett, dachte 's Gertrudle.

Jetzt geht sie so nah am Abgrund — Gott weiß, ob sie mich da nicht hinunterstürzen will . . . Aber ich halt mich fest — wirft sie mich ab, so soll sie mit! dachte der Frieder verzweifelt und klammerte sich wie ein Schraubeisen um seine Trägerin.

Wie er mich doch lieb hat! dachte 's Gertrudle, als sie seinen festern Anschluß spürte.

Aber die Last war gar schwer, und sie keuchte unter Herzklopfen und lehnte sich einen Augenblick mit der Schulter an einen vorspringenden Felsstein nahe dem Abgrund, um sich mit der Schürze die Stirn zu trocknen und einen Augenblick zu verschnaufen. »Nit gar so fest, Friederle!« flüsterte sie atemlos.

Jetzt will sie mich abschütteln! dachte der Frieder, und anstatt seinen Griff zu lockern, preßte er sich um sie, wie mit Schlangenringen, so daß ihr schier die Luft ausging . . .

So kamen sie endlich hinunter.

Drunten auf der Wiese war das ein Jubeln und Umfangen; die keuchenden Weiber saßen im Gras; und die Männer holten ihnen Trank und allerhand Labung. 's

Gertrudle mit seiner allerschwersten Last war die letzte; und ein paar Gefreundete halfen ihr am Wiesenrain hinzusitzen, so daß der Frieder absteigen konnte.

's Gertrudle hatte nicht soviel Atem, daß sie nur ein einziges Wort hätte herausbringen können. Und der Frieder sah das und glaubte es nicht; die Rache würde schon noch irgendwie kommen, dachte er verwirrt; und er mußte doch auch recht behalten vor sich selber, daß 's Gertrudle ein hinterhältig's, rachsüchtig's Ding sei . . .

»Is's schwer g'wese, Gertrudle?« sagte er hastig. Dabei hatte er das unsichere Lächeln, das die Menschen so oft unter Menschenwert herabdrückt. »Vergelt's Gott tausendmal, Gertrudle — eine andere hätt's nimmer g'schafft!«

Erwartungsvoll blickte sie zu ihm auf, atemlos noch.

»B'hüt Gott, Gertrudle — b'hüt di Gott und vergelt's dir tausendmal!« wiederholte er noch und dabei war er schon auf dem Rückzuge. Jetzt sah sie erst, daß er auch Armbrust, Büchse und ein vollgestopftes Lederränzlein geschultert hatte — das hatte sie alles mitgeschleppt.

»Im Welschland denk i an di!« rief er noch zurück; und dann begann er zu laufen, um nur möglichst bald nichts mehr von ihr zu sehen und zu hören. Dabei hatte er wohl das dumpfe Gefühl seiner Schufterei; aber dafür hatte ihn doch wenigstens niemand übertölpelt oder lächerlich gemacht; und das ist für seinesgleichen die Hauptsache. Und er würde schon wieder ein Mädle finden, das an ihn glaubte und was großes von ihm hielt, wenn auch vielleicht erst im Welschland drunten . . .

Lionel

Nach jener brühmten Szene auf dem Schlachtfelde konnte der schöne englische Ritter Lionel nicht zweifeln, daß sein Anblick einen entscheidenden Eindruck auf das unerfahrene Herz der Jungfrau von Orléans gemacht habe. Nachdenklich begab er sich ins englische Lager zurück und schloß sich in sein Zelt ein. Hier nahm er zwei Handspiegel hervor und betrachtete sich vermittels geschickter Wendungen nicht nur en face, sondern auch in beiden Profilen, sowie von der Rückseite. Dies pflegte er nach jeder neuen Eroberung zu tun.

»Das französische Mädchen hat Geschmack,« dachte er. »Sie soll belohnt werden.«

Und er setzte sich auf seinen Koffer und schrieb den folgenden Brief:

97

»Tapfere und berühmte Pucelle d'Orléans!

Sie haben mir heute das Leben geschenkt, weil — da Sie mich ohne Helm und Visier sahen — es Ihnen schade schien, mich zu töten. Die Frauenwelt wird Ihnen dafür danken. Ich weiß ja: es war nicht Erwägung, sondern Eingebung —: der Eindruck, den Sie empfingen, war deutlich in Ihren ansprechenden Zügen zu lesen.
Eine derartige Lektüre in Frauengesichtern ist mir nichts Neues. Ich kann Ihnen nicht verheimlichen — denn ich bin ein ehrlicher Charakter — daß ich einiges Glück bei Frauen habe. Dies Glück scheint mir unverdient; welche Vorzüge könnte eine so bescheidene Natur wie die meine wohl an sich finden?!

Damit Sie aber nicht glauben, ich prahle vor Ihnen mit imaginären Erfolgen, oder Sie seien nicht in der besten Gesellschaft, will ich Ihnen die Damen, die mich mit ihrem Wohlgefallen beehrten — Sie sehen, ich drücke mich äußerst diskret aus — namhaft machen.
Daß — um beim Nächstliegenden zu bleiben — ihre Majestät die Königin Isabeau mich mit sich nehmen wollte, als unser Generalissimus Talbot sie aus dem englischen Lager fortschickte, sei nur nebenbei erwähnt. Sie geruhte sich wörtlich so auszudrücken:

».. . Gebt mir diesen da,
Der mir gefällt, zur Kurzweil und Gesellschaft.«

Außerdem darf ich mich der Zuneigung der folgenden Damen rühmen, die ich hier nach der Reihenfolge ihres Ranges aufzuzählen mich beehre:

Herzogin von Sweetheart, Buttercream-Castle, De-
vonshire.
Viscountess of Thunderbolt, London W.
Gräfin Cheeky, Hoity-Toity-Mansions, Yorkshire.
Baroneß Followmelads, Brighton.
Lady Lovemelong, Hofdame of H. M.
Ellen Topfyturvy. 1. tragische Heldin am Drury-
Lane-Theater, London.

*Die weniger bekannten, oder sagen wir, unbekannten
Namen nenne ich Ihnen gelegentlich in persönlicher
Unterhaltung, ebenso die der in Frankreich gemachten
Eroberungen. Sie können mir dann gleich die richtige
Aussprache dieser französischen Namen beibringen.
Jedes echte Weib setzt seine Ehre darein, sich dem
Manne ihrer Liebe nützlich zu erweisen. Verzeihen
Sie, daß ich etwas so Selbstverständliches besonders
erwähne; aber da Sie von ländlicher Abkunft sind, so
weiß ich nicht, ob Ihr Gefühlsleben in der kurzen Zeit,
da Sie sich in guter Gesellschaft bewegen, sich bereits
so verfeinert hat, daß es den Ansprüchen eines Mannes
von meinem Rang und persönlichen Wert gerecht zu
werden vermag. Doch verspreche ich Ihnen gern, Ihre
Erziehung selber in die Hand zu nehmen.
Aus dem gleichen Grunde mache ich Sie darauf auf-
merksam, daß Sie die Liste der Damen, die mir ihr
Herz geschenkt, aufs strengste geheimhalten müssen.
Mit Recht nämlich gilt es in der guten Gesellschaft als
das verachtungswürdigste Verbrechen, den Namen der
Frauen, die einem ihre Ehre vertrauensvoll in die
Hand gelegt, irgend jemandem — sei dies, wer es wolle,*

— preiszugeben. Sollten Sie dies Gesetz trotz meiner Warnung verletzen, so müßte ich Sie, so leid mir dies täte, aufs tiefste verachten, und Sie hätten mich auf immer verloren.

Wollen Sie mir gefälligst mitteilen, wann und wo ich Sie sprechen kann; gern mache ich mich für Sie frei, ausgenommen wenn ich gerade auf dem Schlachtfelde beschäftigt bin. Doch ich vergaß, auch Sie haben ja dort ihr Wirkungsgebiet. Einer Kiegsheldin bin ich noch niemals persönlich nähergetreten, und ich bekenne, daß das Neue dieser Erfahrung einen gewissen Reiz für mich hat. Mit Vergnügen würde ich Sie in mein Zelt einladen; indessen wir könnten gesehen werden, und meine Stellung verbietet mir, mich zu kompromittieren.

Ihren Vorschlägen sehe ich daher mit Vergnügen entgegen und verbleibe inzwischen, hochverehrte Pucelle,

mit inniger Hingebung
Ihr wohlgewogener und ergebener
Lionel,
Oberst des 15. Linien-Regiments
in His Majesty's Army.

Das Amazonenlazarett

Ambulanz

1. Es gibt Männer, die nicht nur ein Vergnügen, sondern sogar eine Art moralischer Befriedigung darin finden, jeder ihrer Stimmungen, und sei sie noch so beleidigend für die Gefährtin, Ausdruck zu verleihen. »Heute liebe ich dich nicht.« — »Ich wollte, ich wäre unverheiratet.« — »Ich habe heute nicht das Bedürfnis deiner Gesellschaft.« — »Heute bist du mir häßlich.« Solche Männer verraten auch die Namen der Frauen, von denen sie sich haben lieben lassen, an die Nachfolgerinnen.
Auf diese Brutalität sind sie stolz und nennen sie ihre Wahrheitsliebe. Vielleicht tun sie das mit Recht: sie haben keine andere

2. Der Mann, den einst deine Liebe zum Gotte erhob, ist ein anderer geworden, sobald er dir als verständiger Freund gegenübertritt. Es ist dieselbe Schere, und sie schneidet doch nicht, wenn du sie in die linke Hand nimmst.

Und der Mann wundert sich, daß sein Wort und Urteil nicht den gleichen zwingend überzeugenden Eindruck auf dich macht, wie einst.

3. Für eine Frau von Charakter, die sich durch eine große Liebe eine ihr innerlich fremde Lebens- oder auch nur Geistesrichtung aufzwingen ließ, gibt es nach der großen Enttäuschung mitten im Schmerz Momente eines glückseligen Wiedersehens: des Wiedersehens mit ihrer eigenen – und obendrein noch gewachsenen – Persönlichkeit.

4. Die Liebe ist nicht ewig. Du hast noch keinen Grund zu grollen, wenn der Mann deiner Liebe sich von dir hinweg einer anderen zuwendet. Das Kriterium seines Wertes ist, wie er sich dabei benimmt; ob er zugleich ehrlich und zart genug ist, und ob er sein Herz so vornehm erzogen hat, um deinem Schmerz ein Arzt zu werden. Sein neues Glück muß ihn doppelt verstehend und schonsam machen deinem Unglück gegenüber. Läßt er dich in deinem leidvollen Ringen im Stiche, so hat er sich gerichtet.

5. Was weinst du, Schwester? Schätzest du nicht das Losgebundensein von dem Einen? Der Eine ist fast immer auch der Einseitige. In weiterem Umkreise wird deinem Gefühle die Welt wieder zugänglich – freue dich, dir ist ein großes Gut wiedergegeben –: die Freizügigkeit der Seele.

6. Wie töricht, sich dagegen aufzulehnen, daß die Männer die führenden Geister und Willen der Menschheit sind! Nur Prinzipienreiterinnen können leugnen, daß die bedeutendste Frau geistig bei weitem nicht an den bedeutendsten Mann heranreicht. Aber es scheint, daß heutzutage das geistige Niveau der Frau so sehr heraufgerückt ist, daß die unbedeutenden Männer den unbedeutenden Frauen an Zahl, und die unbedeutenden Frauen den unbedeutenden Männern an Geist immer noch überlegen sind.
Ein Ausgleich der Quantitäten.

7. Eine kluge Frau sagte mir: »Wenn man zehn Jahre verheiratet war, beginnt man sich zu langweilen.«
Ihr Mann galt für intelligent!

8. Sage mir, wie du über die Frauen denkst, und ich sage dir, welche Art Frauenverkehr du bevorzugst.

9. Die meisten von uns erleben Noras Schicksal: eines Tages entdecken wir, daß wir einen Mann geliebt haben, der nur in unserer Phantasie existierte, und mit dem der wirkliche eine entfernte Ähnlichkeit hat — etwa wie einem altgriechischen Bildwerke das lebende Modell gleichen mochte. Alles ist ins Große, ins allgemein Gültige, göttlich Typische übersetzt, alles Kleinliche, Zufällige ausgeschieden worden.
Und nun kommt es für uns darauf an, dieses göttliche Bild in unser weiteres Leben hinüberzuretten, es im Allerheiligsten unserer Erinnerung aufzustellen. Dazu gehört freilich, daß wir auch auf den letzten Rest der doch so sehr geliebten Wirklichkeit verzichten und sie

uns aus den Augen bringen. Das ist schwer . . . Sollte es nicht im Grunde nur die uneingestandene Liebe zum Ideal gewesen sein, die Nora aus ihrer bisherigen Wirklichkeit hinaus in ein neues Erleben trieb?

10. »Meine Liebe strebt über dich hinaus!« deklamierte der Prinzgemahl seiner Königin vor − da ging er hinunter in den Stall und küßte die Kuhmagd.

11. »Es ist völlig überflüssig,« erklärte der Gatte seiner kunstbegeisterten Frau, »Daß du nach Berlin reisest und dir die altitalienische Bildersammlung beschaust, da ich doch schon als Junggeselle in Florenz, Rom und Venedig gewesen bin!«

12. Eine Liebe, der wir uns mit dem Gefühl und der Leidenschaft, nicht aber zugleich auch mit dem Verstande hingeben können, kann kein langes Leben haben. Von ihrer Geburt an ist sie todesreif − eine schwere, süße Frucht, die mit einem zu trockenen Stiele an ihrem Zweige hängt. Die Qual beginnt nicht etwa mit der Frage: »Wird sie fallen?« sondern mit der : »Wann wird sie fallen?« Und die ganze Liebeszeit wird zu einer furchtbaren Erwartung ihres Endes.

13. Eins mußt du dir immer wiederholen, Schwester: das Furchtbare an der Liebe ist, daß es in ihr keine Gerechtigkeit gibt − daß die Liebe Gnadenwahl ist. Höher, als irgend ein Weib magst du für deinen Mann gefühlt, Größeres für ihn getan und ertragen haben −: hast du seine Liebe verloren, so hilft kein Verdienst. Laß das Kontobuch in seiner Schublade! Sobald du

anfängst, dir das Debet und Kredit deiner Glücksjahre
vorzurechnen, bist du verloren, denn das Fazit ist Bit-
terkeit.
Das erleben fast alle guten Weiber. Möchtest du des-
halb zu den Schlimmen gehören?

14. Der seltene Fall, daß der Reichtum bei der Armut
betteln geht, tritt ein, wenn ein liebevolles Herz bei ei-
nem lieblosen um Verständnis und Gegenliebe bittet.

15. Der Mann ist eine Erfindung der Ratlosigkeit, in
der die liebende Natur darüber nachdachte, wie sie der
Frau zu einem Kinde verhelfen könne.

16. Zu Anfang war die Mutter.
Dann schuf die Natur den Mann; sie schuf ihn als ein
Wesen aus Geist und Sinnlichkeit.
Da sie diese beiden Extreme durch das Gemüt verbin-
den wollte, merkte sie, daß sie sich bei der Schöpfung
des Weibes in diesem Artikel völlig verausgabt hatte.
»Ich kann dir kein Gemüt mitgeben!« sagte sie traurig
zum Manne.
»Es ist mir so bequemer,« erwiderte er. »Ich habe es
nur nötig, um gelegentlich meine Sinnlichkeit damit
aufzuputzen; und in solchen Fällen suche ich es beim
Weibe. Fällt der Abglanz ihres Gemütes auf mich, so
hält sie den Reflex für mein eigenes Licht.«

17. »Ihr seid spielerisch, sinnlich, putzsüchtig, ober-
flächlich, kleinlich!« höhnte der Mann.
Da trat eine Frau zu ihm heran: ernst, asketisch, unlu-
stig sich zu schmücken, tief und großdenkend.
»Wie langweilig du bist!« sagte der Mann unbehaglich.
»Hinaus mit dir!«

Und er fuhr fort, das spielerisch-sinnliche Weib zu verspotten, indem er sich an ihr ergötzte . . .
Denn die Fischleber schmeckt noch einmal so gut, wenn man im Genuß witzige Leberreime über sie machen kann.

18. *Ein Leutnant ist eine hübsche Uniform, in der manchmal etwas steckt.*

19. *Männer und Frauen schimpfen laut aufeinander in der verschwiegenen Hoffnung, eines Tages eines Besseren belehrt zu werden.*

20. *Warum nur leugnen die Ungläubigen die Schöpfung der Welt aus dem Nichts? Sehen sie doch täglich, daß Männer aus einem Manko ihrer psychischen oder physischen Eigenschaften ein Prinzip konstruieren!*

21. *Je mehr das Weib befähigt ist, durch den Mann zu leiden, desto mehr ist es Weib.*
Umsomehr der Mann befähigt ist, durch das Weib zu leiden, desto weniger ist er Mann.

22. *Ein Mann, der fortwährend absolute Hingebung verlangt und hinnimmt, ohne der liebenden Frau Gerechtigkeit und Dankbarkeit zurückzuzahlen, ist ein Tor, der vom Kapital zehrt. Eines Tages wird er das Herz, das er unerschöpflich glaubte, leer finden. Denn nur gemeine Sklavenseelen dienen für einen Bettellohn; das vornehme Frauenherz setzt stillschweigend auch ein vornehmes Mannesherz voraus, das nicht nur annehmen, sondern auch schenken will.*

23. *Wendet der Gott sich ab, so wird die Verehrende ernüchtert. Wer möchte eine Kehrseite anbeten?!*

24. *Geliebt werden die meisten Mädchen um der Illusionen willen, die sie von ihrer Persönlichkeit erwekken, geheiratet um der Illusionen willen, die sie von ihrer Mitgift erwecken.*

25. *Spekulative Frauennaturen sagen Liebe und meinen Heirat; spekulative Männernaturen sagen Glück und meinen Vorteil.*

26. *Die meisten Männer finden es vorteilhafter zu heiraten, als verheiratet zu sein.*

27. *Junge Mädchen und alte Kirchenbilder tun auf Goldgrund die beste Wirkung.*

28. *Eine gewisse Art von Männern weicht geflissentlich dem Gespräche mit einer seriösen, gebildeten Frau aus.*
So rücksichtsvolle Männer gibt es, liebe Schwestern!

29. *Die Frau beginnt eifersüchtig zu werden, wenn sie liebt. Der Mann beginnt zu lieben, wenn er eifersüchtig wird.*

30. *Polygamie ist die Aufrichtigkeit des Muhamedaners, Monogamie die gesetzlich geschützte Lüge des sogenannten Kulturmannes −: Europäischer Musterschutz, D.R.P.*

31. *Unter die aussterbenden Spezies, wie Steinbock, Elenn, Indianer usw. gehört auch derjenige Mann, der bei jeder Gelegenheit zu seiner Gattin sagt: »Davon verstehst du nichts.«*

Und das ist gut. Denn was ist wohl von einem Manne zu halten, der sich eine Frau auswählt, welche von keiner Sache etwas versteht?!

32. *»Ich kenne die Frauen«, – wie oft hast auch du schon, liebe Schwester, über dieses stolze Männerwort gelacht?*
Gönne dem Glücklichen die Bekanntschaft derer, die sich im Plural von ihm kennenlernen lassen, und rechne dich nicht zu ihnen, auch wenn du zufällig seine Frau bist.

33. *Die Liebe ist das ewig Unveränderliche, bei dem nur der Gegenstand wechselt.*
Verzeiht, liebe Schwestern, wenn ich damit schon öfter Gesagtes wiederhole. Die Dichter sind schuld, wenn es immer wieder einmal vergessen wird.

34. *Der beliebteste Ersatz für die Tugend ist der gute Ruf, obwohl er in der Haltbarkeit nicht immer mit ihr konkurrieren kann.*

35. *Im stillen Dulden liebender Frauen liegt oft mehr Stolz, als sie selber wissen. Während ihre Lippen schweigen, antwortet auf ihres Mannes Ungerechtigkeiten in ihrem tiefsten Innern eine gelassene Stimme: «Tobe nur, Kind! wie könntest du mir gerecht werden, da du mich nicht begreifen kannst?!»*

36. *Neben der Heirat wird sich stets die freie Liebe behaupten, weil sie die liebe Freiheit bedeutet.*
Aber sie wird der Ehe nicht den Garaus machen. Ist auch die Heirat stets ein Salto mortale, so wird doch

dieses Kunststück von seiten des Mannes, als des besseren Turners, meist so geschickt ausgeführt, daß er immer wieder auf die Füße zu stehen kommt.

37. Manche Ehe wird zum Zwecke einer chemischen Reinigungsanstalt für den Mann, als G.m.b.H. gegründet.

38. Für das einzige Ja am Altar nimmt der Mann lebenslängliche Rache durch fünfzig tägliche Neins.

39. Die Kochkunst ist die Kunst, den Gatten umzustimmen.

*40. Vieler Männer Lieblingsgericht ist die Gans.
Auch die ungebratene.*

41. Die Schwäbinnen sind zu beneiden: ihre Männer werden schon mit vierzig Jahren klug.

42. Hast du schon einmal darüber nachgedacht, Schwester, weshalb so viele Frauen für Schauspieler schwärmen? Ich will es dir sagen: weil der Schauspieler der einzige Mann ist, der seine Verstellung zugesteht.

43. Der moderne Mann ist der Beherrscher aller Zeiten. Er nutzt die Gegenwart, hält die »Zukunft« und darf eine Vergangenheit haben.

44. »Schwachheit, dein Nam' ist Weib —« deine Persönlichkeit freilich hin und wieder Mann.

45. Männer sind bescheiden. Wird einer von ihnen der Bigamie angeklagt, so handelt es sich meist um eine verkleinerte Darstellung der Tatsache.

Unsere Freunde und Feinde

Aus der Stellung großer Männer zu den Frauen ist mit absoluter Sicherheit zu schließen, ob sie, die Männer, Glück bei Frauen hatten oder nicht. Was für Frauen müßten das sein, deren Gunst ein ganzer Mann erst würdigt und hinterdrein verachtet!

Nietzsche

1. »Sieben Mannssprüchlein.« (Siehe: »Sieben Weibssprüchlein.« Jenseits von Gut und Böse. Aphorismus 239).

> *Öd' ich mich, so ist der Krug*
> *Und das Weib mir gut genug.*

Jeder weise Gatte haut
Eine Frau, die ihn durchschaut.

Überlegnes Mienenspiel
Führt uns Männer leicht zum Ziel.

Wem ich mein Geschick vertrau —?
Nun — dem Vater meiner Frau!

Jung: das Tier im Löwenflaus,
Alt: das Grauchen guckt heraus.

Große Mitgift, Taille fein,
Kein Gehirn — o wär sie mein!

Seid'ner Röcke Raschelton —
Speck für Adams Übersohn!

2. Mit Recht sagt Nietzsche, wir Weiber hätten das
deutliche Bewußtsein unserer Rolle zweiten Grades.
Jawohl, wir wissen, daß der Mann — der wertvolle
Mann nämlich — die kraftvolle Aktion ist, auf die wir
die fein differenzierte Reaktion darstellen. Aber wir
setzen auch voraus, daß der Mann sich der ungeheuren
Wichtigkeit dieser Reaktion bewußt sei, ohne die seine
Aktion wie eine Geste in leerer Luft wäre, — eine dra-
matische Vorstellung ohne empfindenden Zuschauer.

3. Zarathustra fragt: »Ist es nicht besser, in die Hände
eines Mörders zu geraten, als in die Träume eines
brünstigen Weibes?«

Dagegen ist nichts einzuwenden, wiewohl man sich
vorstellen könnte, daß, je nach dem Werte der Träu-
menden, in solchen Träumen noch ein Hauch von

114

Poesie und Schönheit schwebe. Jede Schönheit und
Poesie aber war jenem Männergespräch und -gewieher
fern, dessen unfreiwilliger Zeuge in dem Doppelcoupé
eines Eisenbahnzuges ein junges, schönes Mädchen
wurde. Das Mädchen ging ins Kloster, nur um der
Möglichkeit zu entfliehen, jemals der Gegenstand ei-
nes solchen Gespräches zu werden.

4. »Du gehst zu Frauen? Vergiß die Peitsche nicht!«
Vortrefflich. Nur rate ich dir in diesem Falle, Mann,
nicht zum zweiten Male zu kommen — weder mit noch
ohne Peitsche.

5. Lerne dich endlich der Peitsche schämen, Mann.
Im Grunde deines Herzens weißt du ja doch, daß sie
dich, nicht uns, erniedrigt — ist sie doch nur ein Surro-
gat für Willenskraft.

Ibsen

Auch Ibsen sprach nicht immer gut von den Frauen.
Aber er nahm sie ernst, indem er sie als Charaktere, als
gleichberechtigte Individuen schilderte. Darum lieben
wir ihn so sehr . . .
So dankbar gegen den einen Freund macht uns die Un-
gerechtigkeit unserer Gegner.

Bodenstedt

»Logik gibt's für keine Frau« . . . Hier ein Beispiel für
die monopolisierte Männerlogik:

*Das oberflächliche, das sinnliche Geschlecht nennen
sie uns von ihrem erhabenen Standpunkte aus.*

*Und dabei versetzt nichts die Männer in eine so große
und staunende Entrüstung, als wenn wir einem schönen Manne den Vorzug vor einem häßlichen geben.*

*In diesem Augenblicke wünschen und erwarten sie,
daß die Törichten, die Sinnlichen nur auf geistige Vorzüge reagieren.*

Nun, Freund Bodenstedt —?

Schopenhauer und Weininger

*1. Die Schwachen werden von den noch Schwächeren
gehaßt, mit dem schamvollen Haß der Ohnmacht.*

*Wie widerstandslos müssen Arthur Schopenhauer und
Otto Weininger minderwertigen Frauen gegenüber gewesen sein, daß sie das ganze Geschlecht zu diskredi-
tieren suchen.*

*2. Die Natur ist nicht schmutzig, — derjenige ist es, der
sie mit schmutzigen Blicken betrachtet, ihre Forderun-
gen verkennt und mit kranken Sinnen auslegt.*

*Die vergebliche Sehnsucht solcher Geister nach der
Askese gehört zu den wenigen Dingen, die für einen
gesunden Frauensinn zugleich komisch und ekelhaft
sind.*

*3. Schopenhauer haßte die Frauen, weil seine stolze
und selbstherrliche Natur sich knirschend gegen alles
bäumte, was ihr unentbehrlich war.*

Zudem war er für Frauen nicht anziehend. Als bezau-

bernder Mann wäre er vielleicht, außer zum großen Philosophen, auch noch zum großen Dichter geworden.

Aber trotz seines Frauenhasses förderte sein gewaltiger Geist, indem er die ganze Menschheit bereicherte, auch unwillkürlich das verachtete Geschlecht.

Weininger dagegen hatte keine Erkenntnis zu geben, sondern nur geistreiche Gedanken, die verblüffen und unterhalten. In Schopenhauers Negationen ist noch Positives, Schöpferisches; in Weiningers Positivem selbst ist wesentlich Zerstörendes.

4. Weininger ist noch eitler als Vertreter seines Geschlechts, denn als Person. Deshalb stellt er das amüsante und völlig willkürliche Paradoxon auf, daß eine Frau, die mehr ist, als ein hirnloses Weibchen, nicht eine echte Frau, sondern je nach dem Grade ihrer Begabung ein viertels-, halb- oder dreiviertels-Mann sei.

Er dichtet uns also einen geistigen Schnurrbart an.

Das ist drollig. Schmachvoll aber ist es, daß er diese etwas selbständiger gearteten Frauennaturen, nur um seine Behauptung zu beweisen, homosexueller Neigungen, widernatürlicher Schmutzereien bezichtigt.

Lieber gar keine Logik, als eine Logik, die in den Sumpf führt.

Unter uns

I.

Penthesileia erzählt:

Die Geschichte einer Mitgift

Ach liebe Schwestern! ist es nicht vielleicht der Fluch unserer Schwäche, der unser Schicksal, gerade das der besten, der wahrhaft liebenden Frauen in die vernichtende Gewalt des Mannes gibt? Im echten Manne ist so viel vom Kinde. Und es ist des Kindes Wonne, ein leichtes Spielzeug, das man ihm in die Hand legt, zu zerdrücken.

Mehr als der Verlust des Spielzeuges es schmerzt, freut es sich der Bestätigung seiner Kraft: »Seht her — das konnten meine Hände!«

Aber ich muß mich unterbrechen. Du hörst nicht zu, Schwester Melitta. Was verbirgst du da in deinem Gewande: ein Buch! Und sein Titel ist: »Tagebuch einer Verlogenen!«

»Verlorenen —,« verbessert Melitta bescheiden.

Ach — verzeih . . . Die Art dieser Bücher aber macht nicht stärker. Unwahrhaftigkeit macht nicht stärker, am wenigsten, wenn sie lüstern von einer Schwäche erzählt, die, um stark zu erscheinen, sich in Frechheit verlarvt . . .

Ich weiß euch bessere Frauenbücher — ehrliche, feine, tiefe Bücher von Frauen, die echte Freude und echten Schmerz in reine goldene und kristallene Becher zu gießen wissen . . .

Aber es gibt auch Schüchterne, deren Hand zittert, und die den Wein verschütten bis auf ein Tröpfchen, und diesem Tröpfchen schnell ein wenig Wasser beimischen, damit das Glas auch voll werde.

Von solch einer Schüchternen will ich euch erzählen. Ich kannte sie gut genug: sie schrieb Gouvernantengeschichten, in denen zum Schluß die arme, erniedrigte Erzieherin den bildschönen Hausarzt oder den hochadeligen Schwager der hochmütigen Hausherrin heiratet und unter lebenslanger Garantie ein staub- und säurefreies Glück genießt. Reich wurde sie nicht dabei, da die Blätter, die mit solchen Süßigkeiten aufwarten, allmählich an der Schwindsucht aussterben. Aber knapp reichte es eben für Paulas und ihres Freundes Heino Ruwedel Unterhalt hin.

Eigentlich schwärmte Heino Ruwedel nicht für knappen Unterhalt.

Dem Studium nach war er Cellist und hatte auch, bald

nachdem er das Konservatorium ebenso unerwartet wie unfreiwillig verlassen, in zwei Konzerten mitgespielt. In einem dieser beiden Konzerte hatte sich die mitwirkende Sängerin Marynka Karpinska in seine dunklen Augen verliebt, die von allen phantasievollen Frauen so seltsam melancholisch gefunden wurden. Melanchoolisch, mit einem doppelten, vielsagend gestreckten o. Diese Augen waren schuld, daß Marynka Karpinska sich nach einem Monat die standesamtliche Berechtigung erwarb, für Heino Ruwedels Lebensbedarf aufzukommen.

Unglücklicherweise jedoch traten einige Zeit nach der Vermählung Verhältnisse ein, die sie in der Ausübung dieser nun einmal übernommenen Verpflichtung auf Monate hinaus unterbrachen.
Heinos gerechte Entrüstung war groß. Eine solche Rücksichtslosigkeit konnte nicht hart genug verurteilt werden. Kein Wunder, daß er der pflichtvergessenen Gattin allabendlich entrann und sein Lieblingscabaret »Zur frommen Helene« aufsuchte, wo er die verschiedenen Sorten und Farben der Liköre auf die Wirkung hin studierte, die sie auf seine Stimmung ausübten.
Denn bei einem Künstler, auch bei einem unbeschäftigten, ist die Stimmung alles. Und man sollte nichts vernachlässigen, was in die rätselvollen Tiefen ihrer Differenziertheiten hinableuchten könnte . . .

An einem dieser Abende — und zwar schicksalsvollerweise an demjenigen, da in Abwesenheit des zärtlichen Vaters der kleine Henryk Ruwedel-Karpinski zum ersten Mal die vier Wände beschrie — trat Heino in den Gesichtskreis der Schriftstellerin Paula Weidner.

Die Wahrheit zu sagen, saß Paula mehr beklommen als amüsiert an den Ufern dieser Quelle und wagte kaum, mit ihren schüchternen blauen Augen ihre Umgebung genauer zu studieren. Bis sie den dunklen Augen Heino Ruwedels zu wiederholten Malen begegnet war. Er kannte die Malerinnen, kam an ihren Tisch und ließ sich vorstellen.

Auch Paula fand sofort diese Augen melanchoolisch — mit einem doppelten, vielsagend gestreckten o.
Damals war sie ein Backfisch von dreißig Jahren mit sehr hohen und ehrfürchtigen Ideen von der großen Liebe und einer hellblauen Seidenblouse aus dem Tietzschen Saisonausverkauf.
Sie blickte ihn so gläubig und teilnehmend an . . . Er war so schön und gewiß sehr unglücklich und ein Künstler . . .
Und sie fühlte mit steigender Beklemmung, daß endlich die langerwartete große Liebe anklopfe, und daß sie »herein!« rufen werde . . .
Erst eine Woche später erfuhr sie, daß Heino verheiratet sei. Das war der erste und vielleicht der furchtbarste Riß in ihre junge, gedankenlos glühende Seligkeit.

Drei Tage lang wand sie sich in weinender Verzweiflung. Drei Tage lang verschloß sie ihm, dem Vergötterten, ihre Tür. Und er stand vor der Tür und sprach durchs Schlüsselloch und schwor ihr, er habe in ihren Armen alles vergessen, auch Frau und Kind, so lieb habe er sie. Und er sei bereits entschlossen, sich scheiden zu lassen.
Das mit dem Scheidenlassen war nicht einmal gelogen. Denn er hatte etwas Furchtbares entdeckt. Das Kind

121

war erblich belastet. Es hatte von der Mutter die un-
glaubliche Rücksichtslosigkeit geerbt.

Es schrie! Das Kind schrie!
Und das nicht etwa nur in seiner Abwesenheit! Es
schrie sogar, wenn er, der leibliche Vater, morgens
todmüde von seinen farbigen Likörstudien nach Hau-
se kam, so daß er nicht schlafen konnte. In jedem Zim-
mer der kleinen Wohnung hörte er es; da war keine
Rettung.
Nur eine: die Flucht.
Eines Abends im Cabaret trat er mit feierlichem Schrit-
te an den Tisch zu einigen Bekannten und sagte mit
dem nur ihm eigenen tiefen Ton, in dem die Erschütte-
rung einer großen Seele nachzitterte:
»Ich fühle die Kraft in mir, meine Frau zu verlassen!«
Schon am nächsten Tage übersiedelte er in ein hüb-
sches Mansardenzimmer, neben demjenigen Paulas
gelegen.
Sofort strengte Frau Ruwedel-Karpinska die Schei-
dung an. Sie strengte sie an! Heino erzählte es Paula
mit bitter zuckenden Lippen. Diese Frau wußte nichts
von wahrer Liebe. Ihr war ein Gefühl, das für andere
ein Leben bedeutet, gleich einem flüchtig aufglühen-
den Abendwölkchen über den Himmel gesegelt – und
dann war es in sein aschfarbenes Grau erloschen, und
die Sonne, die es großmütig durchglüht hatte, ärmlich
wie es gewesen war, – die Sonne war er gewesen, Hei-
no Ruwedel, Paulas geliebter Heino!
Er sprach wie ein Dehmelsches Gedicht. Ein Rausch
war es und eine Seligkeit . . .
Ach, sie wußte wohl – sie war eines solchen Glückes
nicht wert. Sie brachte ihm alles, was sie war und hatte,

122

und legte es ihm zu Füßen und flehte um Verzeihung,
daß es nicht mehr sei.

Manchmal verzieh er es ihr, aber natürlich nicht im-
mer. Zum Beispiel brauchte sie sich doch nicht in ei-
nem einzigen Jahre zwei neue Blusen anzuschaffen,
wo er doch einen Smoking so nötig gehabt hätte —
nicht wahr? Und dann vergriff sie sich zuweilen im
Ausdruck ihrer Liebe und hin und wieder auch in den
Geschenken, die sie ihm machte. Da fehlte immer
noch etwas! Mit Zärtlichkeiten war es nicht immer ge-
tan . . .

Paula lernte weinen. Ihr ganzes Leben lang hatte sie
noch nicht so viel geweint wie in diesen zwei Jahren.
Ach — aber sie wollte es ja gar nicht anders. Nur er —
nur er! Eine andere Glücksmöglichkeit gab es nicht.
Glück —? sie wußte nicht mehr, was Glück und was
Schmerz war. Nur daß fern von ihm die Luft nicht Luft
und das Licht nicht Licht war, und daß es Traumglück
gewesen wäre, ihm zu Gefallen auf einen flammenden
Holzstoß zu steigen — das wußte sie.

Sie lernte noch mehr. Ihm vorsichtig beikommen, daß
er wieder Cello übte. Das war harte Arbeit. Aber sie
fand nichts zu schwer. Und sie benutzte ihre wenigen
Verbindungen, so daß er in einem Konzerte mitspielen
durfte . . . Er spielte gar nicht übel . . . Nur daß er sie
hinterher so endlos mit Kritikenschreiben quälte, auch
für Zeitungen, denen sie völlig fern stand, machte sie
heimlich ungeduldig. Sie hätte es so gern von selber ge-
tan, ohne sein ewiges Drängen und Nörgeln. Wurden
die Kritiken nicht angenommen, so war ihr Stil schuld.
Und einmal hatte sie sein Spiel mit dem eines andern
Cellisten verglichen! Sie, die ihn zu lieben behauptete

— sie vergriff sich so an seiner künstlerischen Individualität! Da durfte sie sich nicht beklagen, daß er eine Szene machte . . .

Ihr neues Verhältnis zum Leben gab ihr neue Farben für ihre eigene Kunst. Es kam Wirklichkeit in ihre Novellen, auch größere Kühnheit . . . Aber sie kannte die Blätter nicht, die so etwas nahmen. Ihre kleinen Familienjournale schickten ihr diese Arbeiten zurück . . . Heino selbst riet ihr, bei den Gouvernantengeschichten zu bleiben — er mußte doch leben.

Auch sein Sohn stellte, wie der Scheidungsprozeß zutage brachte, einen derartigen Anspruch. Frau Ruwedel-Karpinska verlangte von Heino einen Erziehungsbeitrag für den Sohn . . . Sie mußte doch Witz haben, diese Frau — ihre Forderung hatte bei Heinos sämtlichen Freunden einen Heiterkeitserfolg.

»Und diese süßen Hände sollen nicht für den Sohn dieser Herzlosen sich abmühen —!« sagte er im weichsten Tone zu Paula und strich mit seinen Lippen über ihre lange, wachsbleiche Hand hin. Erstaunt blickte sie auf — dann küßte sie ihn dankbar. Sie hatte nie an die Möglichkeit gedacht, daß er dies verlangen könne — aber war es nicht schön von ihm, daß er es nicht wollte? Ob er wohl von Heirat sprechen würde, wenn die Scheidung vollzogen war —?

Sie wartete und horchte auf eine solche Andeutung — sie wartete umsonst.

Einmal, ganz zufällig, kam das Gespräch auf etwas Derartiges. Er lächelte.

Eine so heilige Beziehung durch den Stempel einer philiströsen Unsitte beschmutzen —? Nie! Ineinandergeschlungene Hände mit Ketten belasten —? Nie!

Übrigens — wenn er jemals wieder heiratete . . . Ein Künstler muß in Freiheit atmen können. Und nur Reichtum ist Freiheit — —

Ja, aber deshalb brauchte sie doch nicht traurig zu sein? Närrchen, so ein süßes Närrchen — — —

Die Woche darauf blieb er aus. Ein Dienstmann holte seine Effekten und brachte seine letzte unbezahlte Schneiderrechnung nebst einem Brief.

»Trotz manchem Schönen —« begann der Brief.

Es war eben doch nicht hoch und gewaltig genug für seiner Seele Adlerflug. Er brauchte mehr —: ein Wesen, das mit ihm in alle seine Himmel hinaufflog und ihm alle Wolkenschlösser erstürmen half. Das konnte sie nicht. Sie hatte ja getan, was sie vermochte — dafür dankte er ihr — aber für ihn vermochte sie nicht genug . . .

Da war es, als wenn ein finsterer Geist ganze Meere über die Sonne und alle Gestirne ausgösse, so daß sie verlöschten.

Es war dunkel. Das Leben war still und kalt. Ihr war, als fiele und fiele sie ins Bodenlose, fiele durch den schwarzen Weltenraum, an allen den erloschenen Sonnen vorüber, immer tiefer, ohne Hoffnung auf ein Ende.

Sie fror und sie schämte sich vor dieser Kälte.

Manchmal weinte sie herzbrechend. Aber meist saß sie ganz still und sann, was sie ihm wohl getan haben möge, das ihn abgestoßen habe. Denn es war ihre Schuld, nur ihre. Er war ja ihr Gott, an ihm war kein Fehl.

So vegetierte sie ein paar Wochen lang. Kaum daß sie es wagte, in der Dämmerung fortzuhuschen, um sich das Nötigste zum Leben zu holen. Sie verzehrte ihre

Speisen rasch, immer erst im Augenblicke quälenden Hungers, in einer dumpfen Verwunderung über ihr Tun . . .

Dann, eines Tages, wurde es in der Mansarde neben ihr laut. Sie erschrak bis zum Zittern . . . Ein neuer Zimmernachbar—? Da — da konnte jemand anderes — —?
Es klopfte. Heino stand vor ihr. Sehr ernst, sehr streng. Ob sie nun alle ihre Kräfte anspannen wolle und versuchen, ihm zu genügen? Ob sie ernstlich wolle? Ob diese Zeit des Leides sie geläutert und erhöht habe?

Dann wolle er sich noch einmal zu ihr herablassen.
Sie konnte es erst gar nicht glauben. Die wunden Augen zwinkerten blind vor der neuen Lichtfülle, die hereinbrach, die ihre letzten Tränen in Regenbogen auflöste . . .
Er ließ sich herab, und sie war seliger als je. Wie gut er war — unbegreiflich gut, noch einmal mit ihr vorlieb zu nehmen . . . Und — war das nicht eine Garantie — — konnte er schließlich je wieder von ihr lassen nach dieser furchtbaren Trennung?

Sie wußte nicht, was sie zuerst tun sollte, ihn zu erfreuen, ihm zu dienen . . . Er sagte es ihr. Er zeigte sich vor ihr in einer sehr eleganten neuen Weste, die ihm wie angegossen saß, und erzählte ihr, wo sie gekauft war — —
Ja so. Sie ging und bezahlte die Weste und begann wieder zu arbeiten; und es war schöner, tausendmal schö-

126

ner als früher. Er sagte ihr, daß er sie früher gar nicht so geliebt habe wie jetzt. Daß sie seelisch gewachsen sei und schöner geworden . . .
Erst ein volles halbes Jahr später geschah es, daß er abermals verschwunden war.

Sonderbar. Paula war vielleicht nicht weniger verzweifelt als vor einem halben Jahre. Aber sie war nicht zerschmettert. Es war so viel Zorn in ihr; und als tiefster Kern in diesem Zorn steckte etwas wie Erkenntnis.

Einige seiner schönen Phrasen fielen ihr ein, die er mit den Worten Dehmelscher Gedichte so oft auf sie hatte niederträufeln lassen, und sie mußte plötzlich lachen. Laut lachen, mitten in ihren wildesten Tränen . . .

Einmal, nach einem solchen Anfall von Lachen, fand sie sich plötzlich an ihrem Schreibtisch sitzend. Sie schrieb und schrieb und warf sich aufs Sofa, lachte bis sie weinte und weinte bis sie lachte und rief ihn bei allen süßen Namen und schluchzte abermals und saß wieder und schrieb.
Nicht daß sie ihre Geschichte schrieb. Aber Heino Ruwedel wandelte durch den Roman mit seinen nachdenklichen Schritten, und um ihn her lachte und weinte und höhnte das verwundete Gefühl und vergaß sich wieder in seine alten Glutträume hinein und schreckte auf und lachte wie ein Teufel. Die feine Gestalt und das melancholische Gesicht Heino Ruwedels – melanchoolisch mit doppeltem und vielsagend gestrecktem o – stand wie in einem Lachkabinett von Hohl- und Konvexspiegeln umgeben, und aus allen guckte Heino Ruwedel heraus, zum Totlachen, aber immer ähnlich. Vollkommen ähnlich, so daß man glauben konnte,

dies wären seine eigentlichen Gesichter, und der Mann
mit den melancholischen Augen, der vor diesen Spie-
geln stand, sei eine verwachsene Idealisierung . . .
Eine Qual und eine Lust war es, so zu schreiben.
Einem Blatte wagte Paula den Roman nicht anzubie-
ten. Sie sandte ihn einem modernen Buchverlag; und
er wurde angenommen, gedruckt und versandt.

Ein glücklicher Zufall wollte, daß das Buch dem Kriti-
ker eines bedeutenden Blattes unter die Finger kam —
einem Manne, der gerade tags zuvor seine jüngste hö-
here Tochter bei einem allzudreisten Leihbibliotheks-
bande erwischt hatte. In seinem heiligen Zorn rückte
der erschrockene Vater Paulas Buch zuleibe. Ob es
nicht eine Schande sei, daß heutzutage Damen derglei-
chen schrieben und das Gift in die Familien trügen? Er
frage —: ob es nicht eine Schande sei?

Das las der Kritiker des Konkurrenzblattes und suchte
sich unter den Neueinsendungen hastig Paulas Buch
hervor. Was —?! Ist das auch ein Standpunkt einer so
glänzenden Talentprobe gegenüber? Und ist es nicht
ein Segen, daß solche Dinge zur Sprache kommen —
daß die schillernde Decke von dem Berliner Sumpf ge-
zogen wird?
Schund — Leihbibliotheksware! schrieb der Dritte.
Der beste Roman der Gegenwart! behauptete der Vier-
te.
Und als die vier ersten sich ausführlich über das Buch
verbreitet hatten, da wollten die sechsundneunzig an-
deren nicht zurückbleiben. Es wurde das Modebuch
der Saison, über das man im Salon eine Meinung ha-
ben mußte. Verlangt wurden: eine Meinung über die-

ses Buch und durchbrochene Strümpfe — diese wurden freilich nur von Damen verlangt, die Meinung über das Buch aber auch von Herren.

Jeden Monat schickte der Verleger einen rosa Postschein an Fräulein Paula Weidner: und sie verließ ihre Mansarde und zog in eine allerliebste kleine Etage, die sie mit eigenen Möbeln ausstattete. Und ein zweiter Verleger kam und bot Paula für ihren nächsten Roman auf der Stelle fünfzigtausend Mark; und Paula nahm sie und schrieb geschwind einen gewandten Schund; denn Interessantes wußte sie nun nicht weiter. Es war schlimm für den Verleger.

Bald kamen durchreisende Kollegen und Berliner Kollegen, ihr die Hand zu drücken; auch berühmtheitsüchtige Backfische jeden Alters erschienen mit Autographenalben, in die Paula hineinschrieb: »Das Leben ist größer als die Phantasie,« oder: »Die Poesie ist das Land ohne Grenzen, wo die Sehnsucht sich Hütten baut« und ähnliche hübsche Dinge, über die sich die Albumbesitzer innig freuten.

Auch eine Dame mit einem Notizbuch kam, sie für ihr Blatt zu interviewen. Sie fragte Paula bis zum Erröten aus und machte sich mit ihrem Bleistift Notizen. Schließlich fragte sie mit vornehmer Diskretion: »Und die Vorgänge Ihres Romans —? Haben Sie das alles selbst erlebt?«

»Das habe ich mir alles aus dem Finger gesogen,« erklärte Paula aufrichtig.

Und die Dame schrieb in ihr Büchlein: »Alles aus dem Finger gesogen,« und verließ befriedigt die Wohnung, nachdem sie sich die Farbe der Tapete und die Form des Schreibtisches gewissenhaft eingeprägt hatte.

Sie besaß auch den Doktortitel. –
Eben las Paula beim Schein ihrer neuen Glühlichtlam-
pe die Mitteilung ihres Verlegers, daß das fünfundsieb-
zigste Tausend ihres Romanes soeben in Vorbereitung
sei, als es abermals an ihrer Tür schellte. Sie ging hin-
aus, um zu öffnen. Da stand der Held ihres Romanes,
der Cellist Heino Ruwedel.
Mit einem unterdrückten Aufschrei fuhr sie zurück. Er
aber sagte in seinen weichsten, beseeltesten Tönen:
»Wenn du meinen Anblick nicht ertragen kannst, gehe
ich wieder.«

»Komm herein,« sagte sie halb erstickt.
Er trat ins Zimmer, überblickte flüchtig die neue Ein-
richtung und streckte sich auf die japanische Decke der
Chaiselongue. Auf dem Tische stand ein geöffnetes Zi-
garettenkästchen; er griff danach, zog aber die Hand
wieder zurück und lag still da, von Zeit zu Zeit die
dunklen Augen ernst und mild zu ihr erhebend. Dann
blitzte das Licht der Lampe darin. Sie mußte hinblik-
ken, ob sie wollte oder nicht . . .
Aber die Empörung, die sich in mehr als einem Jahr in
ihr angesammelt hatte, war zu groß. Sie wußte selbst,
daß es töricht war, ihn hereingelassen zu haben, sie
wußte, daß es sie selber erniedrige, wenn sie ihn so er-
niedrigte, wie er es verdiente. Aber sie mußte sprechen.
Fast war es, als brauche sie es gar nicht erst zu sagen –
als sei die Luft dieses Raumes gesättigt mit Anschuldi-
gungen, als brauche sie nur die Hand auszustrecken,
und sie fielen auf ihn nieder wie Schläge unsichtbarer
Hände. Es war nicht die alte Umgebung, nicht die alten
Möbel waren es, die all das Unrecht, all die Enttäu-
schungen, die Demütigungen, die sie erlitten, all die

entsetzlichen Schmerzen, die sie getragen um einen Unechten, miterlebt hatten. Und doch — alles war mit ihr herübergezogen in diese neue Umgebung; schon sprachen diese fremden Gegenstände mit ein, unterstützten ihre Anklagen, gaben ihr Recht Diesem gegenüber . . .

Sie konnte nicht schweigen. Sie sprach. Jedes Wort holte die unsichtbaren Hände aus der Luft hernieder, auf ihn, der dalag — —

Ob er sie fühlte? Manchmal schloß er die Augen. Vielleicht schlief er auch zeitweise.

»Du hast mein Buch gelesen —? . . . Und bist nicht in den Boden gesunken vor Scham —?«

Milde sagte er: »Ich dachte mir, welch eine Erlösung es dir bedeuten müsse, deinen unendlichen Schmerz so gellend in die Welt hinauszurufen.«

Sie ermattete plötzlich. Vielleicht in dem dumpfen Gefühl, daß ihm nicht beizukommen sei.

»Was willst du denn eigentlich?« fragte sie und ließ sich langsam auf einen Stuhl neben ihm sinken.

»Ahnst du es nicht?« fragte er mit tiefem Ton und nahm ihre Hand. Sie wollte sie ihm entziehen und tat einen Ruck, aber obgleich er sie nicht sehr festhielt, ließ sie sie ihm.

»Fühlst du nicht, daß jetzt die Zeit gekommen ist, da wir unsern Bund vor der Welt durch eine Heirat bekennen müssen?« fragte er beinahe vorwurfsvoll . . .

Sie wollte lachen, aber sie lachte nicht. Sie wollte aufspringen und sprang nicht auf . . .

»Bist du nicht Dichterin geworden durch mich —? Was wärest du heute ohne diese Schmerzenserziehung?

131

*Und wenn du heute unabhängig bist, berühmt, wohl-
habend – dankst du das nicht alles mir –? Sei nicht
undankbar, Paula!«*
*Noch immer konnte sie nicht lachen, obwohl sie wuß-
te, daß es das einzig Richtige gewesen wäre. Und sie
fühlte, sie hatte ihm schon zu lange zugehört. Jetzt
konnte sie ihre Entrüstung nicht mehr finden . . .*

*Sie heiratete ihn. Sie brachte ihm die Mitgift zu, die er
ihr verschafft hatte . . .*
*Sie wohnen Berlin W., Tiergartenviertel, und haben je-
den Donnerstag Jourfix. – – –*
Also sprach Penthesileia.

II.

Im Plauderwinkel

*Kommt, liebe Schwestern, rückt näher heran und laßt
uns aufrichtig miteinander plaudern, denn wir sind unter uns.*

*Was können wir dafür, daß wir den Männern gegen-
über nicht immer aufrichtig sein dürfen? Öfter noch als
ihre Tyrannei, zwingt ihr Nichtverstehen uns zur Verstellung. Dann müssen wir uns, um verstanden zu werden, in die Männersprache übersetzen; und bei jeder
Übersetzung geht Ursprüngliches verloren.*

132

Die Männer geben sich, um sich verständlich zu machen, weniger Mühe. Viele sind zu gleichgültig dazu, anderen geht das Sprachtalent ab. Aber wir können sie besser erraten, als sie uns; wir blicken ihnen auch aufmerksamer nach den Augen.

Und doch bleibt soviel Nichtverstehen zwischen uns und ihnen, daß es wie Gegnerschaft erscheint, und darum sagen heute so viele, Männer und Weiber haßten einander.
Auch uns, die wir gezürnt und gespottet haben, werden sie Männerhaß vorwerfen.

Aber Männerhasserinnen und Weiberfeinde sind Kranke und gehören ins Hospital. Ich las das Buch eines kranken Weiberfeindes, »Geschlecht und Charakter« hieß es; und vor Ekel und Mitleid wurde ich selber fast krank. Was aus Krankenzimmern kommt, kann nicht sauber und wohlriechend sein. Der Verfasser mußte wohl einsehen, daß seine Krankheit unheilbar sei; darum erschoß er sich.

Wir aber sind gesund an Leib und Seele. Will der Einklang zwischen Mann und Weib, der des Lebens lebendige Ganzheit ausmacht, sich nicht einstellen, so kommt das uns an, was wir unsere »männerfeindlichen Stunden« nennen.
Oft lacht der, der nicht weinen will.

Die Stärksten sind es, die uns am wehesten tun. Mit Kampf beginnen wir, glücklich, besiegt zu werden. Da

*in der schönen Jugendzeit der Menschheit Penthesileia
mit Achilleus zu kämpfen begehrte — liebte sie ihn da
nicht bereits?*

*Was sind uns die Mittelmäßigen, die sich um Geld oder
Ehren an eine Ungeliebte verkaufen — an aufge-
schmückte Hohlheiten, an schiefe Leiber und verkrüp-
pelte Seelen?! Aber auch mancher Starke geht an dem
hochgearteten Weibe vorüber, das fast eines jeden Weg
kreuzt, und wählt zur Mutter seiner Kinder eine behag-
liche Kuh oder eine spitzhörnige Ziege, als ob er sich
von der Natur zum Hirten von Kälbern oder Zicklein
bestimmt glaube.*

*Ach, und wie manche Titania trauert lebenslang ihrem
Esel nach!*

*Immer wieder eint die Natur das Hohe mit dem Gerin-
gen und verschmäht ihre gewaltigsten Möglichkeiten.
Unter den drei vermummten Gestalten, zwischen denen die geniale Naivität des Märchenhans zu wählen
hat, sitzt die Prinzessin, das süße Mittelmaß, jedesmal
in der Mitte zwischen Himmels- und Höllenmächten;
und Hans ist brav und wählt die Prinzessin. —*

*Höchstes Glück und Leid kommt uns allein vom Man-
ne; und dennoch zweifelt er immer wieder an unserer
Gefühlskraft, deren Mittelpunkt er bildet. Vielleicht
kommt ihm jener Zweifel aus seiner Tatkraft, die ihn
zu immer neuen Eroberungen spornt, so daß mancher
den Besitz einer Königsstadt aufgibt, um einen Hüh-
nerstall zu erobern.*

Dort aber, wo die zwei Adelswappen, Tat- und Ge-
fühlskraft, sich auf einem gemeinsamen Schilde ver-
einigen, da steht das Hochzeitshaus der Thetis, und
Achilleus kann zum zweiten Male geboren werden.

Sind wir Männerhasserinnen, meine Schwestern, weil
wir Sehnsucht haben nach dem Hohen und Höchsten?

Penthesileias Lexikon

A.

Abneigung .... *kein Ehehindernis.*

Absagebrief .... *Demaskierung.*

Adam .... *der erste jener Unmündigen, die da sagen: Herr, das Weib verführte mich!*

Äußeres .... *häufig Ersatz für Inneres.*

Anhänglichkeit .... *Männerschreck.*

Armut .... *Vogelscheuche.*

Aufrichtigkeit (der Frau) .. *Anlaß zum Entmündigungs- verfahren.*

Automobil .... *Durchbrennmaschine.*

Augenaufschlag .... *Fallgrube.*

B.

Ballsaal .... *Rekognoszierungsterrain.*

Bankerott (des Schwiegerva- ters) .... *Kühlapparat.*

Bigamie .... *verkleinernde Darstellung der Tatsache.*

Bindestrich .... *Unterschrift auf dem Stan- desamt.*

Blindekuh .... *Lieblingsspiel kluger Frauen.*

Blindschuß .... *Liebesblick.*

Börse .... *männlicher Kaffeeklatsch.*

Brautstand .... *Untersuchungshaft mit Ver- günstigungen.*

C.

Carrière . . . . *siehe Schwiegervater.*

Convenienzehe . . . . *Ausstattungsstück.*

Convention . . . . *Zwangsjacke.*

Cynismus . . . . *Stallweisheit.*

D.

Damencoupé . . . . *Rettungswagen.*

Dank . . . . *ein Wort ohne begrifflichen Inhalt.*

Dialektik . . . . *Mittel, die Gedanken Anderer zu verbergen.*

Durchforschung des
schwarzen Erdteils . . . . *allmähliches Erkennen des Männerherzens.*

Duell . . . . *viel Lärm um Nichts.*

E.

Ehe . . . . *chemische Reinigungsanstalt für Männer.*

Ehe . . . . *G. m. b. H.*

Ehemann . . . . *Gefangniswärter.*

Ehrenwort . . . . *nur vor Frauen anzuwenden, weil ihnen gegenüber unverbindlich.*

Engel . . . . *zweckdienlicher Komparativ von Frau.*

Enttäuschung . . . . *garantierte Liebesprämie.*

Erfahrung . . . . *ein Weib mit hundert Gesichtern.*

Erfahrung (für Männer) . . *hundert Weiber mit einem Gesicht.*

Erinnerung .... *Paradies und Hölle der Glücklosen.*

Ewigkeit .... *ein geflügeltes Wort für Liebende.*

F.

Faun .... *Zyniker ohne Salonmaske.*

Favoritin .... *Eintagsfliege des Glücks.*

Fesseln .... *der Traum der Freien.*

Frau .... *lästige Nebeneigenschaft der Mitgift.*

Freie Liebe .... *die liebe Freiheit.*

Freiheit .... *der Traum der Gefesselten.*

G.

Gans (gebraten) .... *Lieblingsgericht des Mannes.*

Gans (ungebraten) ...... *Lieblingsgericht des Mannes.*

Gefühl .... *Irrgarten.*

Gentleman .... *der am häufigsten angemaßte Adelstitel.*

Gesicht .... *irreführendes Titelblatt.*

Gutmütigkeit .... *Mittel zur Pechfabrikation.*

H.

Halfterband .... *Requisit des Brautführers.*

Hase .... *ein genießbarer Feigling*

Haß .... *die Giftseite des Liebesapfels.*

Heirat .... *Salto mortale.*

Herz .... *ein Artikel von mehr Angebot als Nachfrage.*

I.

Ja . . . . das Wort, das jeder Ehemann einmal sagen muß (s. Nein).

Illusion . . . . Zuckerwerk für erwachsene Kinder.

Intelligenz . . . . Schädelfülle. Bei Frauen sehr störend.

Irrtum . . . . der Portier der Königin Liebe.

K.

Kochkunst . . . . die Kunst, den Gatten umzustimmen.

Künstlerehe . . . . eine leicht lösliche Substanz.

Künstlerehe . . . . Vertrag mit vierteljähriger Kündigung.

Kuß . . . . ein Preßverfahren, bei dem der Nachdruck erlaubt ist.*)

L.

Lächeln . . . . drahtlose Telegraphie.

Leidenschaft . . . . Sparheerd.

Liebe . . . . das Unvergängliche, bei dem nur der Gegenstand wechselt.

Liebkosung . . . . Signalrakete.

M.

Mann . . . . Folterwerkzeug zur Erpressung von Zugeständnissen.

---

*) Anmerkung des Setzers:
Hier hat Penthesileia sich eine Anleihe bei einem Ungenannten gestattet.

Männerliebe	*ein Gesellschaftsspiel, auch „verwechselt das Bäumchen" genannt.*
Mißverständnis	*Normalzustand.*
Mitgift	*eine weibliche Eigenschaft die jeder Mann schätzt.*
Monogamie	*die Unaufrichtigkeit des Kulturmannes (s. Polygamie).*
Moral	*die strenge Forderung jedes Mannes - an den lieben Nächsten.*

N.

Nachklang	*Ach-Klang.*
Name	*Aushänge-Schild.*
Nebenbuhler	*häufig einzige Liebesursache.*
Nein	*Lieblingswort des Mannes, dessen fleißiger Gebrauch ihn für das einzige Ja am Altar entschädigt.*
Notlüge	*das unentbehrlichste Stück der Aussteuer.*
Null	*Gattin*

O.

Oberflächlichkeit	*Schwimmgürtel.*
Ochs	*homme d'esprit: die Enttäuschung der Europa.*
Öde	*Tischnachbar.*
Ohnmacht	*Überlegungspause.*
Onkel	*Studentenportemonnaie.*

P.

Pantoffelheld . . . . einer vom Tausend, der für die Sünden der übrigen 999 büßen muß.

Peitsche . . . . Surrogat für Willenskraft.

Physiologischer Schwach-sinn des Weibes . . . . Beweis für den psychologischen Schwachsinn des Mannes.

Phrase . . . . Betäubungsmittel.

Pistole . . . . ungeladener Verteidiger.

Poet . . . . gesetzlich geschützter Gift-mischer.

Polygamie . . . . die Aufrichtigkeit des Muha-medaners.

Pose . . . . Deckung für Gefühlsbanke-rotteure.

Q.

Qual . . . . Amors Tochter zweiter Ehe.

Quacksalber . . . . Ehestifter.

Quark . . . . ehemännliche Bezeichnung für eheweibliche Auseinan-dersetzungen.

R.

Reichtum . . . . Jagdschein.

Reue . . . . Treppenwitz der Liebe.

Rosenketten . . . . Umschreibung für Handfes-seln.

Ruf (guter) . . . . beliebter Ersatz für Tugend.

S.

Schauspieler .... *ein Mann, der seine Verstellung eingesteht.*

Scheidung .... *die schwierige Auflösung eines schlecht formulierten Rechenexempels.*

Schwabe .... *einer, der schon mit 40 Jahren gescheit wird.*

Schwachheit .... *ihr Name ist Weib, ihre Persönlichkeit Mann.*

Schwiegermutter .... *Stachelzaun.*

Schwiegervater .... *siehe Carrière.*

Silentium .... *das am lautesten geschrieene Wort.*

Sultan .... *der Neid des Europäers.*

T.

Trauring .... *kleiner Gegenstand für Westentaschen.*

Trauung .... *Unvorsichtigkeit.*

Treuschwur .... *Glasware (Vorsicht! nicht stürzen!)*

Tugend .... *eine Eigenschaft, die bei der eigenen Frau selbstverständlich, bei der des Nachbars störend ist.*

U.

U. .... *siehe X.*

Übermensch .... *Selbstbezeichnung moderner unartiger Kinder.*

Untreue (beim Manne) .... *selbstverständlich.*
Untreue (beim Weibe) .... *Tue la!*
Ursache .... *ein Etwas, worauf man sich nicht besinnen kann.*

V.

Vergangenheit .... *darf nur der Mann haben.*
Vergnügen .... *Spielpfennig, wird oft für Glück in Zahlung genommen.*
Verstand .... *schlechter Ersatz für Glück.*
Verstellung .... *die Waffe der Unterdrückten.*
Vorleben .... *dunkler Bühnenraum mit Versenkungen.*

W.

Wahrheit .... *graue Liebesasche.*
Weh, auch o weh .... *Epilog zur Liebe.*
Weib .... *auch ein Mensch.*
Weisheit .... *Altenteil.*
Wimpern .... *Theatervorhang.*

X.

X .... *der Buchstabe, den der Mann seiner Frau für ein U vormacht.*
Xanthippe .... *die Lehrerin der Philosophen.*

Z.

Zahlungsfähigkeit .... *Haupterfordernis von Schwiegereltern.*

143

Zankapfel . . . . *Dasjenige, auf das es beim Streit am wenigsten ankommt.*

Zielbewußtsein . . . . *schön drapierte Streberhaftigkeit.*

Zote . . . . *das ausgesprochene Unaussprechliche. Dessert für Herrengesellschaften.*

Zweifel . . . . *die halb demaskierte Wahrheit.*

Amazone des Federhalters

Glossen zum Frauenbrevier

Oft lacht der, der nicht weinen will - ein frischer Wind weht von 1907 herüber in die 80er Jahre, in die Grabenkämpfe zwischen Männern und Frauen, in die Erstarrung und gegenseitige Fixierung. Die Fronten sind eingefroren, aus dem großen Geschlechterdrama ist die Routine der Dramolette und Melodramen geworden. Von Komödie keine Spur, das Lachen steckt im Hals, der Witz hat sich verkrochen.

Gesucht haben wir lange nach ihm. Nach dem Frechen, dem Spielerischen, dem neuen Blick. Die Bücherbretter entlang. Ein Rücken ohne Titel. Die Wünschelrute hat uns den Fund zugespielt. Anna Costenobles „PENTHESILEIA - Ein Frauenbrevier für männerfeindliche Stunden".

Verlegt 1907 im kleinen, feinen Haus von Friedrich Rothbarth, das man heute im Verlagsverzeichnis lange sucht. Mit Oscar Wilde und Théophile Gautier erschien dort in Leipzig dekadente Literatur, mit Marie Antoinette, Madame Récamier und der Marquise de Pompadour Frauenportraits aus der großen Zeit der Galanterie, neben Kulturhistorie und Kuriosa von Liebe, Lust und Leidenschaft standen auch Titel zur Frauenbewegung der Jahrhundertwende im Programm. Drei Mark kostete das „Brevier für männerfeindliche Stunden" damals kartoniert, gebunden 4 Mark 50.

Oft lacht der, der nicht weinen will - unter dieser Fahne zieht Penthesileia in den Geschlechterkampf: *Doch da mir einmal das Männermorden/Zu einer lieben Gewohnheit geworden,/*

145

So habe ich andere Waffen geschliffen/Und faute
de mieux *zur Feder gegriffen. Die Amazonenkönigin*
hat *Schwert und Speer* aus der Hand gelegt *für zierlich
geflügelte Pfeile,* und die sind ihr lieber als *grobe Keile.*
Die Knittelverse kommen traulich daher, geben sich harm-
los und spielerisch, *von der Fingerspitze leicht, wie Nasenstüber, hingeschnellt.* Wut und Trauer sind dabei nicht weg-
geschliffen. Sie werden umgeschmolzen, in Form gegossen
und poliert zu kleinen, spitzen Stücken. Den Stoff liefern
die Männer. Aus Geschichte und Gegenwart, aus der Bibel
und aus dem bürgerlichen Eheleben, aus den Märchen
und Heldensagen, aus der Philosophie und der Schönen
Litteratur. Den Stoff liefern die Mythen des Alltags, in
denen die Frauen *eine hellblaue Seidenblouse aus dem Tietzschen Saisonausverkauf* tragen, in denen die Herren die Damen sitzenlassen und den Dienstmann schicken, der *seine
letzte unbezahlte Schneiderrechnung nebst einem Brief*
bringt.

Penthesileia bläst die trostlosen Geschichten von Betrug,
Demütigung, Verlassenwerden nicht zum großen Ge-
schichts- und Geschlechterpanorama auf: *Nichtverstehen*
und *Gegnerschaft* sind keine Parolen - *Männerhasserinnen
und Weiberfeinde sind Kranke und gehören ins Hospital.* Sie
wendet die Trauer in ironischen Hochmut. Unter ihrem
kühlen, amüsierten Blick gerinnt der diskrete Charme des
ewigen Verführers zu Glosse und Groteske, zu Parodie und
Pastiche, zu Satire, Travestie. Nichts Männliches bleibt er-
haben, kein Alexander groß; Siegfried wird beim Hemd-
knopf gepackt, Nietzsche die Peitsche entwendet, Schopenhauer und Weininger - Hospitalkandidaten. Männer machen
nicht Geschichte, sondern Geschichte*n*, und zwar dumme.
Kein Respekt vor ihren Selbstdarstellungswahn, keine
Furcht vor dem Gegner. Penthesileia steht nicht mit dem
Rücken zur Wand. Sie kennt *den* Mann, sie kennt seine Tics
und Tricks. Sie jongliert mit seinem starken Wort, bringt sei-

ne Logik zum Tanzen. Schamlos betreibt sie Mimikry, schlüpft unverfroren ins Zitat:

Seit Möbius, der nunmehr selige, den physiologischen Schwachsinn des Weibes so schlagend und unwidersprechlich bewiesen hat, können wir Frauen jede Dummheit, die wir begehen, mit unserer Minderwertigkeit ausreichend entschuldigen. Die Männer entbehren diesen Vorteil; sie machen die ihren unter voller, eigener Verantwortung.

Der Mann wird entwaffnet, sein Opfer lacht ihn aus. So eifrig und beflissen übernimmt eine Delinquentin das Vor-Urteil über sie nicht umsonst. Es nützt ihr: *O, wie sicher wohnt es sich unter (Möbius') wissenschaftlichem Schutz!*

Oft lacht der, der nicht weinen will - die Zeitgenossen haben den Zorn hinter dem Gelächter genau gespürt. Penthesileias Schriftstellerkollege Otto Julius Bierbaum denkt sich sein männliches Teil dazu, im „Literarischen Echo" vom 1. Juli 1908:

Artig. Das Wort leitet mich zu einem sonderbaren Buche über: dem satirischen Buche einer Frau, - einer modernen natürlich: wie würde sie es sich sonst unterstehen, satirisch zu sein und noch dazu vis à vis dem Manne? Und doch brauche ich ihr gegenüber das Wort a r t i g in dem Sinne des galanten Jahrhunderts, in dem es zwar sehr geistreiche und bedeutende Frauen gab, aber just gar keine von der Art unserer modernen. Damals hieß a r t i g etwa soviel wie niedlich, aber mit einem Schuß von Grazie des Verstandes, Wohlerzogenheit des Geschmackes, Liebenswürdigkeit des Geschlechtes. In diesem Sinne heiße ich, auf die Gefahr hin, daß sie mir die Augen auskratzt, Madame Penthesileia a r t i g. Ich will damit vor allem sagen, daß ihre Satire weiblichen Charme hat. Ein reizend besticktes Nadelkissen voller Bosheit: und es enthält (o angenehme Überraschung!) eigentlich lauter Nähnadeln,

147

dazu bestimmt, die beiden Geschlechter, die ja jetzt, wenn ich recht berichtet bin, in intellektuellen Kreisen das schöne Spiel Katz und Hund aufführen, wieder einander zu verbinden. Daß das Buch voller Spitzen ist, versteht sich bei einer so weiblichen charmanten Dame wie dieser Amazone des Federhalters von selbst: sie sind sehr hübsch geklöppelt und meistens echt.

Und was tut der Grandseigneur, wenn er einen *Nasenstüber* spürt? Er geht in die wohlwollende Pose, in Bonhomie und Souveränität, verniedlicht die Bosheit zum Amusement, sagt im übrigen *Küß' die Hand* und hebt tadelnd die Zeigefinger:

Aber ein vollständiges Frauenbrevier für männerfeindliche Stunden (Stunden! Küß' die Hand, Penthesileichen!) ist das Buch doch nicht. Es fehlt der Mann darin, der, wenn ich mich nicht ganz täusche, in den männerfeindlichen Stunden jeder wohlgeborenen Frau seine Rolle spielt: der effeminierte. Warum hat ihn die scharfäugige Schützin nicht mit aufs Korn genommen? Ist ihr dieser wonnige Gondler auf den Wellen der Frauenbewegung gar nie begegnet? Oder sollte sie, die Amazone, etwa G e f a l l e n finden an diesem Weibmännchen, das alle Frauenzimmerlichkeit in sich aufgenommen hat, nachdem die richtigen, rechtschaffenen Weiber sie abgelegt haben? Dann, o Penthesileia, Tochter des männermordenden Ares, muß ich Eurer amazonischen Majestät sonst so starkes Herz im Verdachte haben, daß es mehr Freude am Sirup modern verschwollener Frauenlöblerei hat, als es einer Königin und Kriegerin ziemt. Es wäre schade, obwohl es weiblich wäre und damit doch auch eine Art Trost in diesen unerquicklichen Zeiten der verrutschten Geschlechter, in denen jedes Zeichen unverstellter Weiblichkeit, und sei es gleich ein Zeichen der Schwäche, sympathisch berührt neben den viel zuvielen Symptomen einen absurden Vermannsung.

148

Jetzt ist Versäumtes gebührend bemängelt, Verrutschtes zurechtgerückt und die Männerwelt wieder in Ordnung. Übersehen hat der Rezensent, daß die Aphorismen und Aperçus, die Pointen und Maximen höher zielen als nur Munition gegen die Männer zu liefern. Das Spitzenwerk ist Erste Hilfe, *Ambulanz* im *Amazonenlazarett*:

Dennoch, ihr Schwestern, soll euch allein
Dieses Büchlein gewidmet sein,
Daß es verwundete Gefühle
Mit Spott und Zuspruch freundlich kühle,
Und ihr - ohn' daß es der Seele schadet -
Eure Affekte im Lachen entladet.

Penthesileia legt ihren Schwestern den Notverband an, die sich zurückziehen vom Schlachtfeld, zu den verletzten und gekränkten Frauen: *So kommt d a s uns an, was wir unsere ,m ä n n e r f e i n d l i c h e n' Stunden nennen.*

Oft lacht der, der nicht weinen will - wer ist die Amazone mit dem Federhalter, die diese Maxime zum Motto erhebt? Wer ist Penthesileia, wer Anna Costenoble? Wer ist die Autorin? Das Vorwort unterzeichnet sie mit „Penthesileia", auch die Titelei verrät nicht mehr als dieses Pseudonym. Costenoble signiert nur die Zeichnungen. Auf anderen Umschlägen schreibt der Verlag ihr das ganze Buch zu und nicht nur die Illustrationen.

Wer versteckt sich hinter der Amazonenkönigin aus der griechischen Mythologie? Und wer ist die Costenoble? „Ein Problem!", sagte jeder Archivar. Ein Name, in den Lexika durch andere Namen karg erklärt. Geboren 1866 in Danzig. Malerin, Radiererin, sie zeichnet Portraits und Landschaften, findet um 1900 Anschluß an die Berliner Sezession. Als Frau hat sie keinen Zutritt zu den Akademien. Karl Gussow

(1843 bis 1907), Kunstprofessor in Berlin, nimmt sie in seine Privatschule auf. Kontakt hat sie mit dem Literatenkreis um die Brüder Julius und Heinrich Hart; sie portraitiert den Dichter Richard Dehmel und richtet Grüße an Detlev von Liliencron; vergeblich versucht sie, die Radierung, das Dehmel-Bildnis, an den „Pan" zu verkaufen, an *die* bibliophile Kunst- und Literaturzeitschrift der Jahrhundertwende. Einmal zumindest hat sie Furore gemacht.

Aus Dresden berichtet die Neue Folge der „Kunstchronik" von 1897/98:

Allerdings hat es an einer Sensation nicht gefehlt, aber diese war keineswegs künstlerischer Natur, sondern in moralischer Hinsicht höchst bedenklich und vermutlich gerade deshalb von solcher Anziehung, dass ihre Wirkung auf das Publikum weit länger anhielt, als man je hätte erwarten können. Die Wolfframm'sche Kunsthandlung hatte nämlich in ihrem Salon dem berüchtigen Cyklus von Anna Costenoble, der die „Tragödie des Weibes" darstellen soll, Aufnahme gewährt und dadurch einen solchen Zulauf des Publikums erzielt, dass sie ihre Räume nicht bloss wie sonst bis 6 Uhr, sondern bis 9 Uhr des Abends aufhalten musste. Ein gutes Zeichen für den in Dresden herrschenden Kunstgeschmack lässt sich aus dieser Thatsache gewiss nicht ableiten. Denn ganz abgesehen von dem bedenklich erotischen Inhalt der Costenoble'schen Bilder, der als das Erzeugnis einer Frau geradezu abstossend wirkt, muss auch ihre künstlerische Ausführung als durchaus ungenügend beanstandet werden.

Und wie sieht die Malerin sich selbst? Für das „Geistige Deutschland am Ende des XIX. Jahrhunderts" schreibt die 32jährige Künstlerin eine autobiograpische Skizze:

In Danzig geboren, kam ich nach allerlei Irrfahrten mit meinen Eltern nach Berlin, wo ich 1883 in das Atelier Gussows eintrat und hier meine erste und (wenn ich Skarbina, dem ich ebenfalls sehr viel verdanke, absehe) ich kann wohl sagen, einzige Ausbildung erhielt. Ich danke Gussow auch, dass mir die sonst für ‚Damen‘ üblichen Vorstudien erspart blieben. 1887 war ich den Winter über in München, wo Lenbach sich für meine Arbeiten interessierte, und Chr. Roth mir kurze Zeit Unterricht im Aktzeichnen ertheilte. Ich fand immer und überall die richtigen Meister, und habe fast keinen Tag in nutzlosem Suchen verbracht. Seit 1888 lebe ich in Berlin. Ich habe eine Reihe Portraits interessanter Menschen gemalt und radirt und 1894 eine grössere Arbeit, einen Cyklus, Momente aus dem Leben des Weibes darstellend, angefangen, und im Herbst 1896 in meinem Atelier zur Ausstellung gebracht. Jetzt arbeite ich an Radirungen, die eine freie Nachbildung der Cyklusbilder sind, aber um viele Blätter erweitert werden.

Die Spur verliert sich im „Berliner Adreßbuch" von 1930, ihrem Todesjahr. Der letzte Eintrag:

Costenoble, Anna, Kunstmalerin
W 62, Nettelbeckstr. 23 IV.

Oft lacht der, der nicht weinen will - sollte das Motto nicht aus demselben Federhalter kommen wie die Jugendstilvignetten, die Zeichnungen? Schon neun Jahre vor dem Erscheinen des „Frauenbreviers" beschreibt Anna Costenoble ihre künstlerische Entwicklung als weibliche Biographie. Ihr Thema ist die Frau. Der Radierzyklus „Tragödie des Weibes" von 1894 gilt als ihr Hauptwerk. Zeitgenossen haben ihn nicht als Kunstwerk gewürdigt, sie haben in ihm das Machwerk der Frau gesehen. Und Anna Costenoble sollte nicht die Penthesileia sein?

Im Frühsommer 1982   Friederike Hassauer
                                      Peter Roos